U0110333

43 明代
西元1368～1643年 〔注音本〕

全新 吳姐姐講歷史故事

吳涵碧◎著

目錄

【第903篇】

江彬入虎檻。

劉瑾惡貫滿盈，終於被誅。明武宗信賴劉瑾，造成這種下場，他可是一點兒也不後悔。朝臣屢次上書，歷數宦官的暴行，明武宗的答覆是：『天下事豈皆由內官（即宦官）所壞，朝臣壞事者占十之六七。』

劉瑾之後，明武宗最寵信的身邊人，除了錢寧小寧兒之外，又添了一個人，那便是江彬。

江彬是宣武人，原爲蔚州衛指揮僉事，此人驍勇善戰，曾經在兩淮戰爭之時，身中三箭，其中一箭由頰上射入，耳旁穿出，鮮血直流，旁人看得膽戰心驚，江彬一聲吆喝：『哼！看我的！』說著，用手用力拔下箭，扔在地上，照樣手持鐵鎗，接連搠死數人，突圍而出。從此，江彬耳旁留了一條疤痕，卻也成爲光榮勝利的英雄標幟。

正德七年，賊亂漸平，軍隊返回邊區，路途經過京師，這一過，就被明武宗給留下來了。

江彬逮住機會，送了錢寧一個大紅包。錢寧一樂之下，安排江彬晉見武宗。武宗身體瘦弱，卻最崇拜英雄好漢。京營附近的武將，養尊處優的日子過久了，白白胖胖，腆個大肚皮，實在沒多少軍人模樣。江彬可不一樣，他高頭大馬，虎體狼腰，豹頭猿背，行走如風，身上每一塊肉看起來硬邦邦的，眞是一條漢子。

明武宗走上前，好奇的問江彬：『朕聽說你耳朵裏插了箭，你依然奮戰。』

『把箭拔出來就是了。』江彬一副不在乎的神氣回答。

武宗湊上前，果然看到耳旁一道疤痕，油然而起了英雄崇拜之心，高興的下令：『好，以後，你就在京裏幫朕練兵。』

於是，武宗開始在豹房附近，每日操兵。江彬率領的四鎭邊兵爲一營，武宗自己選用年輕力壯的小太監又成爲一營，一早一晚鼓噪發炮。

這些部隊的服裝與衆不同，鮮明的鎧甲上，繫上黃色的圍巾，遮陽帽上插著鵝毛，刀光閃爍，旌旗飄揚，士兵們顯得威武颯爽，明武宗眞是樂壞了。

皇太后成天被操兵吵得頭昏腦脹，把武宗找來問：『天天不得安寧，此非吉祥之兆。』

明武宗一撒嬌：『怎麼會呢，我好高興噢。』

太后一向溺愛武宗，看他一臉興奮模樣，也就任由他胡鬧了。

武宗操完了兵，時常拉著江彬的手，一塊兒入豹房享樂，甚且共臥同起。江彬本是一個粗人，完全不懂禮儀，有一回，江彬陪武宗下棋，明明是輸了，他竟然嘩一聲嚷了起來：『不行，不行，這局不算。』

千戶周騏早就看不過去了，氣得大聲喝斥：『江彬，豈可在萬歲爺前如此放肆，足可判個死罪。』

江彬不服氣，狠狠的回瞪周騏，江彬心想，皇帝都沒開口，你管甚麼閒事。過了沒幾天，江彬在武宗前說了幾句周騏的壞話，周騏竟然就丟了官又丟了命，從此，眾人就曉得江彬在皇帝心中的分量了。

江彬愈來愈走紅，錢寧心裏頗不是滋味，心中直後悔，當初不該貪圖江彬的大紅包，引狼入室，悔之晚矣。因此，他時常在武宗面前打江彬的小報告，說江彬如何如何『貪殘兇狠』，武宗根本聽不入耳。

有一天，明武宗來到豹房，突然心血來潮，吩咐看守豹房的小太監道：『快把虎檻打開，朕要進去餵食。』

左右的人都傻了眼，小太監苦苦哀求：『萬歲爺要餵就在柵欄外面餵吧，進去太危險了。』

明武宗一向有個拗脾氣，人家愈不讓他做的事，他就愈偏要做。不料，武宗一進入柵欄，老虎對他一吼，武宗就慌了，大叫『小寧兒救命！』小寧兒也怕啊，嚇得不敢向前。這時江彬迅速竄入，把武宗帶出來。武宗又逞強道：『哪用得著你？』可是，從此心中感激江彬，厭惡錢寧。

閱讀心得

【第904篇】

馬昂賣妹求榮。

自從江彬以身擋虎，救出虎檻裡的明武宗，武宗就對江彬另眼相看。

錢寧頗不是滋味，從此江彬與錢寧努力爭寵，互別苗頭。

明武宗好色又喜新厭舊，因此，江彬與錢寧忙著四處尋訪美人兒。

有一回，江彬赴延綏總兵馬昂家中小坐，突然之間，簾子外閃過一條身影，江彬一看，整個人怔住了。

馬昂問：『怎麼了？』

『我、我是不是見到了仙女？』江彬期期艾艾道。

『噢，那是我的妹妹，長得不壞吧。』馬昂搖著腦袋笑道：『我的妹婿不是別人，正是指揮使畢春。』

江彬告別了馬昂，心裡撲通撲通跳個不停，他想，萬歲爺若是見到艷光照人的馬氏，不曉得該如何興奮。馬氏一出，把豹房裡那些美人全給比下去了。至於說，馬氏已結了婚，嫁了人，沒關係，當今皇帝與一般中國男子不同，他不在乎這些，只要人漂亮就好了。

明武宗一聽說有此絕色，立刻吩咐：『那還不趕快給接了來。』

馬昂是利慾薰心的人，他非但不介意皇帝看上了大妹子，反而希望能藉此平步青雲。因此，接到了消息，立刻把妹妹打扮起來，馬氏原本嬌

艷，再經過一番刻意修飾，實在是美得讓人不敢逼視。

明武宗一看就中意了。馬氏會唱歌，會跳舞，會騎馬，會撒嬌，與皇帝一般愛玩愛鬧。於是，馬昂升了官，全家皆賜蟒衣，太監們稱呼馬昂為『大舅子』，得以自由出入豹房。

過了沒有幾天，馬氏突然不舒服，時時作嘔，又愛吃酸梅，找了太醫門診，竟然是『懷孕三個月』。推算起來，這肚子裡的孩子一定是畢春的，這還了得。

因此，朝臣建議武宗，立刻把馬氏逐出宮外，武宗正在興頭上，當然不會答應。臣子們更加憂心了，當今天子膝下猶虛，萬一將來封為太子，那麼朱家天下豈不成為畢家天下。

因此，言官石天柱等上書給武宗，請求把已經懷孕的馬氏逐出皇宮，否則，如果馬氏生子繼承皇位，則諸王宮室豈肯坐視把皇位讓與非朱家的人，內外大臣又豈肯俯首聽命，因此，請皇上速逐出孕婦，以清宮禁，以清天下人的疑慮。

明武宗一向最任性，他還是不理會。

過了幾個月，馬氏的肚子愈來愈大了，彷彿捧著一個球在走路，不能騎馬，不適合跳舞，身材不再婀娜多姿，整個人彷彿是吹脹的氣球，明武宗本來不是一個重感情的人，對著日漸變醜的馬氏逐漸失去了興趣。

有一天，明武宗與大舅子馬昂在豹房裡喝酒，武宗突然想起，曾經有人談及馬昂有一小妾，貌美如花，不輸於馬氏，所以，隨口問道：『請你的小妾一塊來喝酒。』

馬昂的小妾是他的心上肉，馬昂雖然不惜賣妹求榮，妹妹到底只是妹妹，馬昂是無所謂的，可是小妾可不一樣，若是讓好色的明武宗見到了，必然留在豹房，他實在捨不得。於是回答明武宗：『對不起，小妾病了，不能作陪。』

武宗當然不相信馬昂的話，他站了起來，一揮袖，氣沖沖的走了。馬昂知道錯了，急奔回家，將小妾之外，再加四名美女一塊送入宮中，希望武宗能消消氣，可是，武宗不領這個情，沒多久，馬昂丟了官，馬氏也失寵，這樁孕婦事件也就告一個段落了。馬氏的結局就沒有人知道了。

這會兒，武宗又閒下來了，覺得日子過得挺無聊的。他因爲長久處於亢奮狀態之中，已經無法安安靜靜的讀點書，或者處理國家大事，只有尋求更刺激更瘋狂的活動，才能提高興致。武宗身邊的人，也不斷幫他想新花樣，希望他耽於逸樂，也唯有如此，身邊的人，才有耍弄權勢的機會啊。

江彬是宣化人，他一心一意把武宗誘到宣化去，一方面自己衣錦還鄉，另一方面，則可甩脫錢寧的糾纏，到底宣化是屬於他的地盤。

江彬再三蠱惑武宗：『宣化多美女，多樂土，保證萬歲爺大開眼界。』

『那麼，把她們帶到豹房裡來也就是了。』

『那可不一樣，塞外風光明媚，且可騎馬打仗，何必老是鬱鬱悶悶關在大內，讓煩人的群臣宰制。』

江彬說得口沫橫飛，明武宗聽得心中癢滋滋的，於是下令，仿效豹房，在宣化建造一座『鎮國府』。明明是行宮，爲甚麼要自貶身分，降爲甚麼府呢？反正武宗是皇帝，他高興怎麼玩就怎麼玩。

閱讀心得

【第905篇】

張欽攔阻明武宗。

明武宗被江彬引誘，換上軍服，自封爲『鎭國公朱壽』悄悄出京，準備出長城，親征韃靼小王子，當然眞正的目的是到塞外去找樂子。

武宗只帶了江彬、錢寧、少數太監與衛兵，來到京城北方的郊外，眼見一片原野，黃土與綠草相間，廣闊無垠，武宗深深的吸的一口氣，忽然覺得天是那麼大，甚麼阻隔也沒有。他忘情的兩隻手在空中搖晃，快樂得不得了，好像是一隻出籠的飛鳥，江彬湊上前去，諂媚的問武宗：『這豈不是比關在大內強多了？』

武宗長長的舒了一口氣，挺直腰板，低頭欣賞自己的腰帶弓矢，東摸摸、西弄弄，覺得威風極了，這種自由與放任令他亢奮。

明武宗樂瘋了，宮裏的朝臣卻急壞了，天子失蹤，萬一消息外洩，那該有多危險。

朝臣梁儲著急的搓著手：『萬歲爺準是被江彬那個小子煽惑，出關親征韃靼去了，但願不要重演土木堡事變。』

一聽這話，大夥心全涼了。土木堡事變是明英宗之時，宦官王振建議親征瓦剌，結果，明英宗在土木堡被俘，明朝元氣大傷。這段故事，我們前面曾經詳細說過。

蔣冕說：『我們還傻傻待在這兒幹甚麼？還不趕快去追！』於是梁儲、蔣冕、毛紀三個人騎著快馬，離開北京，向北急追而去，一直追到沙河，終於追上了武宗。這時，武宗正在享受馬上之樂，所以，梁儲三人如何死勸活勸，都沒有用，三個人著急得哭了起來，武宗卻依然無動於衷，反而興匆匆的說：『你們要不要看朕的馬術，江彬說朕的馬術是一流的。』梁儲等人毫無辦法，心中有說不出的沈重。

梁儲等人鎩羽而歸，一路之上唉聲嘆氣，只好以：『總算是盡了力。』互相勸勉。卻還有一人不肯放棄希望，仍然想試他一試，那人便是張欽。

張欽是正德六年進士，爲人十分正直，擔任巡視居庸關的御史。早在聽說明武宗準備出關之時，張欽就連上兩疏，力陳乘輿（皇帝坐的車子）不可以出關。他提出三個理由，一、人心搖動，御駕親征耗費太大。二、遠涉險阻，兩宮（指太皇太后與皇太后）會掛念遠征的皇上。三、北寇勢力正強，大明軍隊恐難與之抗衡。當然，張欽的奏疏是拂逆了武宗，武宗根本不予理會。

張欽聽說明武宗的車駕已經到了昌平，張欽把居庸關的指揮孫璽找了來，用非常誠懇的語調對孫璽說：『聽說皇上的車駕將要出關，你我的死期到了。』

『怎麼說？』孫璽不解的問道。

『假如關不開，這是違抗天子的命令，你我違抗聖旨，該當死罪。萬一開了關，再造成土木堡之變，你我輕易放皇帝出關，也是死罪。可是，寧可不開關而死，死也死得不朽，你看如何？』

孫璽也是一個血性男兒，躬身作揖，朗聲答道：『悉如尊命。』

孫璽把居庸關給上了鎖，並且由張欽親自保管鑰匙。

武宗也聽說了這件事，下令召孫璽前來問話，誰知孫璽好大的膽子，竟然以『御史在，臣不敢擅自離開』為理由，竟然就沒到昌平來朝見武宗。

武宗沒法子，改為召見守居庸關的監軍太監劉嵩，劉嵩對張欽說：

『奴才是皇帝的家奴，可不是朝臣，天子有命，奴才不能不去。』

張欽不回答，他不能阻止劉嵩去見皇上，但是心裡卻是不高興。劉嵩走後，張欽拿了一塊黃布，把皇帝頒賜的關防，以及居庸關的鑰匙小心包好，搬來一張椅子，捧著黃布包，坐在關下。劉嵩覲見武宗後，回到居庸關，立刻到關下見張欽，張欽不等劉嵩開口，立刻舉起黃布包，高聲說：

『敢言開關者斬。』

劉嵩知道張欽的脾氣，他犯不著與自己的腦袋開玩笑，因此，很識相的退了下去。

張欽當然也擔心不開關的嚴重後果，連夜寫了一道奏章，快馬呈送給明武宗，奏章內說：『臣聽說天子親征，必先期下詔，召開廷臣會議。啓行之時，六軍翼衛，百官扈從，聲勢浩大，而且有車馬之音、羽旌之美。如今居庸關前無聲無息，只是不斷聽人傳說，車駕將要出關，這必然是有

人假傳聖旨，請皇上捉拿此造謠之人，明正典刑。』在奏章的結尾，張欽甚至挑明了說：『如果陛下一定要出關，必然要有太皇太后與皇太后的書面同意，否則臣萬死不奉詔。』

這個奏疏尚未送到武宗面前，武宗又派使者到居庸關要求開關。專使到了關下，張欽明明知道這是皇帝的旨意，故意把劍一抽，對準了專使的喉頭：『好小子，你竟然敢假傳御旨前來詐騙。』

專使被張欽一嚇，摀著喉頭奔回昌平，氣喘吁吁道：『張御使差一點就把我給殺了。』

明武宗大爲掃興，生氣的對錢寧說：『你去把張御史給殺掉。』

錢寧可不想去送死，正在拖拖拉拉，張欽的奏疏已到，京裏又趕來一批朝臣，七嘴八舌苦苦相勸。武宗沒可奈何，滿心不情願的回到京城。

閱讀心得

【第906篇】

明武宗捉弄和尚。

明武宗想要出關，結果被張欽在居庸關阻攔，只好掃興的回到宮中。明武宗著急，江彬更著急。他又出了一個鬼主意：『萬歲爺下次出京，必須做得更隱秘，乾脆先在百姓家中躲一夜，再神不知鬼不覺的跑出去。』

這個主意新鮮，武宗好興奮。他爲了表示改邪歸正，絕口不提出關之事，也努力做出勤於朝政的模樣。如此這般，熬了二十多天，有一天，武宗悄悄換了一件平民的衣服，在江彬的巧妙掩護之下，出了德勝門，在昌平州一間民舍之中住了一夜。第二天一早，天還沒亮，騎著一匹快馬疾馳出關。

張欽得到消息，急急帶兵追趕，卻被谷大用在居庸關給擋下來，理由是，聖旨頒下，不准任何一人出關。張欽急得頓足捶胸，只能西向痛哭。

明武宗終於到達了宣化府，此時，『鎮國公府』已落成。放著皇帝不當，自封爲『威武大將軍朱壽』，又自稱爲『鎮國公』的明武宗望著『鎮國公府』四個大字的匾額，有美夢成眞的喜悅。

武宗大搖大擺進了鎮國公府，很驚喜的發現，他許多心愛的家具、古玩、服飾用品與古董字畫，全移到了鎮國公府，甚且平日伺候他最周到的

宮女，也由豹房移到了『鎮國公府』，明武宗對江彬的細心體貼，實在是太滿意了。

當然，美女是不嫌多的。既然目前是鎮國公，就有鎮國公的玩樂方式，當天晚上，明武宗就客串『山大王』，竟然自己帶著兵，騎著馬，聽說哪家有美女，就這麼直闖進去，把美女擄到馬上，當一個『壓寨夫人』。這哪兒是皇帝，根本是土匪嘛。

第二天，整個宣化全沸騰了，原來來了一個超級土匪萬歲爺。家中有婦女的，個個提心吊膽。民間戲劇中的『正德皇帝與李鳳姐』，把明武宗描寫成風流多情，實在是美化了他，眞實的明武宗是不折不扣的色鬼。

中國人有句話『天高皇帝遠』，意思是遠在天邊外，皇帝可也管不著。其實，做皇帝的，比誰都受拘束，規矩都多。因此，武宗到了宣化，拋開一切束縛，快樂似神仙。他對江彬說：『豹房好，鎮國公府更好。以後，朕就稱鎮國公府為「家裡」。』

明武宗在『家裡』樂不思蜀。到了九月，突然接到警報，說韃靼小王子親率五萬雄兵而來，朝廷大驚，為了保護明武宗，調集大批人馬分赴大同、陽和一帶。結果，總算趕走了韃靼，不過，官軍陣亡了好幾百人，韃靼總共才死了十六人。明武宗就藉這個題目，自我誇耀，『親征大捷』。

明武宗在『家裡』流連忘返。轉眼之間，就馬上要過年了。在中國，過年是大事一件，尤其是帝王之家，明武宗卻執意不肯回家。

錢寧著急的說：『太皇太后望眼欲穿，一心盼望萬歲爺早日回京。』

『急甚麼，韃靼不是趕跑了嗎？』明武宗毫不在乎的回答。『朕捨不得家裡，家裡好玩，這樣吧，朕過了年，再回京裡看花燈。』

明武宗一向就是這個脾氣，錢寧沒轍，只好說：『萬歲爺過了年可一定得要早一點回去，御駕親征，凱旋而歸，多麼威風，拖久了，就沒有意思了。』

『不是萬歲爺親征，是鎮國公朱壽凱旋班師回朝。』

明武宗再一次的糾正錢寧。在他心目之中，當鎮國公比當皇上有意思多了。當然，他這個鎮國公又不是真的鎮國公，沒有任何人可以管，又能甩開當皇帝的種種顧忌，自然覺得有趣。

有一天下午，明武宗帶著一個小太監，信步走到宣化郊外一個廟裡。

廟中的老和尚，一見便知這位做將軍打扮的，不是別人，正是當今聲名狼藉的天子。老和尚雖然看破一切，成爲方外之人，對國家仍有一片忠心，忍不住就好好勸戒了武宗一番，希望武宗：『收拾起貪玩之心，爲明朝開創一番新氣象。』

明武宗聽了，臉上有些掛不住，尤其老和尚明指武宗：『尤其不應該搶劫良家婦女。』讓明武宗臉上訕訕的。忽然間，明武宗想到一個惡作劇，忍不住笑了起來。

在立春那一天，明武宗找來數十輛大車，車頂掛著許多內塞稻草的皮球，接著，下令和尚們分別上車，每一輛車都幾乎塞滿了和尚。然後，明武宗又下令等數量的婦女分別上車，這一著把眾人嚇壞了，車子已經很擠，婦女上來後更擠了。有那比較害羞保守的女子，遲遲挨挨不肯上車。但是，士兵們持刀相脅，只好勉強上車，和尚努力騰出空隙，雙方避免接觸。

但是，車一前進，和尚婦女不可能不相碰觸，有的和尚滿臉尷尬，不斷暗呼『阿彌陀佛』，也有那不老實的和尚，猛然跳入了脂粉堆中，從來沒有機會如此接近女色，眞是樂不可支。

不一會兒，車子速度快了，皮球不斷打在和尚光頭之上，和尚們東躲西逃，不免頻頻碰觸車中婦女。比較害羞靦腆的婦女窘得滿臉通紅，也有那比較潑辣的，又笑又罵，還有拍著禿腦袋，大聲嬌叱：『你這個壞和尚，占我的便宜。』

至於明武宗，遠遠坐在高台上欣賞車中的奇景，為自己的天才構想，笑得前仰後合，直不起腰來。

閱讀心得

【第907篇】

鎮國公朱壽凱旋回京。

明武宗在宣化的鎮國府之中愈玩愈樂，毫無拘束，甚且把鎮國府命名爲『家裏』，他覺得在家裏遠比在京城裏有趣多了，沒有那麼多臣子嘮嘮叨叨。

終於，明武宗在宣化過完了年，決定要回去了。當他揮鞭經過居庸關之時，想起張欽拚死不肯開關，明武宗耍了一計，喬裝百姓，蒙混出關，非常得意自己的機智。武宗笑嘻嘻的對左右說：『以前張御史攔阻我，現在我已經歸來了，哈哈哈。』武宗雖是個太保皇帝，倒也不是殘暴皇帝，他明白張欽是一片忠心，因此並沒有降罪張欽。

明武宗當皇帝當膩了，他一心嚮往赳赳武夫。所以，此番出征，他自封爲『鎭國公朱壽』。早在武宗沒有回京以前，錢寧已經回京部署，千交代萬叮嚀，這一回是鎭國公凱旋回京，而不是皇帝御駕親征，臣子們務必體會上意，不要弄錯了。

朝臣們一心巴望皇帝別再貪玩，早日回朝，當然依武宗之意，當作英雄凱旋歸來。

武宗一向愛漂亮、愛熱鬧、愛新鮮。他特別囑咐錢寧，爲了表現排場，『賜文武臣大紅紵絲羅紗各一，其綵繡一品牛，二品飛魚，三品蟒，四品麒麟，五六七品虎彪。』完全不合慣例。依照規矩，文官用飛禽，武官用走獸，例如文官一品仙鶴，武官一品獅子。不過，反正武宗素來不守章法。

中國歷史上，從來沒有一個皇帝自貶身價，降爲臣子，武宗卻認爲當朱壽比較有意思。因此，大臣們設計的彩旗，一律以『威武大將軍』稱呼，下款也不敢署名臣子，（這些臣子的品秩可比大將軍還高。）花花綠綠的彩旗上面，倒是繡了不少『威鎮九邊』、『功高百世』。自德勝門外，百官一字排開，除了武宗最愛的鼓吹百戲外，羊酒、綵幣象徵喜氣洋洋的物品也全擺滿了。

一切準備就緒，不巧，天上飄起了大雪，朝臣們自一早守候，二條腿凍得像冰棍，望眼欲穿，直到夜半，煙火自遠處點燃，明武宗回來了，他身著戎裝，騎乘赤馬，腰帶寶劍，勒緊馬韁，緩緩而行。武宗故意頭抬得高高的，傲然走過，眼角卻不斷瞟著兩旁的旗幟揮舞，內心亢奮到極點，他覺得自己是不折不扣的大英雄。

武宗過足了癮，迎候的大臣卻苦不堪言，大風大雪且不必說，武宗呼嘯而過以後，大臣找不到馬，找不到僕人，平日養尊處優的大臣們，一腳低一腳高踩在泥濘之中，好不容易走回城中，老命幾乎去掉了半條，準備第二天一大早請醫診治。

第二天，明武宗配上二朵金花，神氣的接受群臣祝賀。明武宗興致高昂，朝臣們自然必須配合演出英雄凱旋的戲。但是皇帝自貶身價當將軍的

戲碼，前所未有，臣子們也不曉得該如何開口，只好不斷磕頭。

武宗大聲的一喊：『楊廷和！』

『臣在。』

『你知道嗎？朕在陽和，親自斬一首級。』武宗對於自己能殺死一個活人，認爲是頂了不起，頂有英雄氣概的大事。

楊廷和面有難色道：『臣是聽說了，不過……』

武宗知道下面又是一篇大道理，趕快打斷了楊廷和的話：『朕要與臣子們一塊慶功。』

武宗喜歡新花樣，所以他在左順門，親自爲凱旋歸來頒發銀牌，一品官銀牌重三十兩，二品、三品各重十兩，銀牌上面並且鏤刻『慶功』二字。四品、五品及給事中銀牌四兩，御史三兩，各鏤刻『賞功』。武宗一人一人頒發，頗有神采飛揚之感。

楊廷和忍不住上了一奏章，苦口婆心勸導武宗：『自古帝王雖以武功定天下，恆以文德致太平。希望陛下不要再勞師費財，深入大內，頤養天和。』

明武宗見到奏章，揉揉眼睛，打個呵欠，直想睡覺。他想到明天一早還得早起上朝，冬天這麼冷，連個暖被窩也不能多待一會兒，比較之下，『家裏』多好玩，自由自在，毫無拘束。念頭一來，武宗在二月又迫不及待趕到了宣化。

剛到了宣化，接到惡耗，太皇太后駕崩。武宗覺得掃興，卻不得不趕回來奔喪，參加一連串繁文縟節的喪事。

好不容易熬到四月，太皇太后終於下葬。明武宗到了昌平縣的天壽山，匆匆忙忙行了禮，急著前往密雲遊玩。

聽說這位『花花太歲』來了，民間婦女藏的藏，躲的躲，到處驚慌一片。當時有個永平知府毛思義，是弘治十五年的進士，在他看來，此乃荒誕的謠言，家有喪事，尚且不宜外出，何況貴為天子，國喪期間，皇帝就是再不像話，也不至於在這個節骨眼出外尋歡。因此，他就下了一道命令：『大喪未舉，車駕必不遠出，非有文書，妄稱聖駕擾民者，必治以法。』

鎮守太監郭原一向與毛思義不合，把這道命令往上呈，倒楣的毛思義就給下了錦衣衛。

閱讀心得

【第908篇】

正德皇帝看煙火。

明武宗是一個花花皇帝，太皇太后國喪期間，他勉強在宮裏待了幾天，馬上又坐不住，急急想往外闖。

正德十四年春天，寧夏有警，武宗又蠢蠢欲動想要親征，這一回他想出的名義是『威武大將軍太師鎮國公朱壽巡邊』，以江彬爲威武副將軍扈從，命令內閣草制，讓他以皇帝的身分封朱壽，朱壽是武宗自己取的新名字，他非常的得意。

首席內閣大學士（俗稱首輔）楊廷和不肯草擬這不倫不類的詔書，他覺得武宗未免鬧得過火，假如喜歡喬裝，偶爾在宮裏扮演賣布商人也就是了，哪有皇帝自願降格爲將軍的呢？

楊廷和不曉得該如何應付這困窘的局面，只好託病躲在家裏。武宗找了次輔梁儲，命令他來寫巡邊的制誥。

梁儲正色道：『其他可以將就。』頓了一會兒，他深吸一口氣說：『此制斷斷不可草。』

武宗暴跳如雷，『刷』的一下，抽出佩劍，指著梁儲的脖子：『你敢不寫，不寫，吃朕一劍。』

梁儲把烏紗帽取了下來，跪在地上，哽咽的說：『臣違命有罪，願意就死，草制以臣名君，臣死不敢奉命。』

明武宗倒也能明白梁儲的忠心，還不至於眞的一劍捅入他的喉嚨，於是，他負氣的把劍往地上一扔：『哼，你不寫，莫非朕就當不成威武大將軍？』

想到這裏，明武宗不再命令草制，反正，他自封爲『威武大將軍朱壽巡邊』也就是了，威武大將軍這幾個字武宗經常掛在嘴邊，覺得十二萬分的過癮。

武宗不知天高地厚，一心尋樂，旁邊的臣子卻是一顆心提在半空中，爲武宗擔憂不已。大臣們的著急是有道理的，因爲的的確確有一個宗室——寧王朱宸濠不懷好意窺視著天子寶座。

寧王宸濠被封在江西，他野心很大，早在正德二年，重金賄賂宦官劉瑾，得以擴充兵事，並且向過往的船隻取得徵稅的權利。劉瑾被殺之後，宸濠就把目標對準了錢寧。另外，兵部尚書陸完也被宸濠收買，成爲他安置在京城裏的心腹。

陸完原先是江西按察使，宸濠頗看好他，時時誇獎：『陸先生他日必爲公卿。』

『哪裏，哪裏。』陸完每次都謙虛的搖搖頭，心中卻非常歡喜。

過了不久，陸完果然當了兵部尚書，宸濠『投資』成功，心花怒放，並且藉著這一條線，拓展出許多人脈，大學士費宏爲此感慨萬千：『假如一切依宸濠之意，我們江西將無人可活。』

宸濠聽人說，武宗愛熱鬧，好新奇，每年元宵節，單單點燈用的黃蠟就得耗去幾十萬斤，他決定趁機使壞。

宸濠早在一年之前，找來老師傅，製造了幾千盞花燈，這些燈上都用針孔密密的刺了人物故事，有的是嫦娥奔月，有的是張生驚艷，更有的用絹綢紮成花草蟲魚，中間點了油燈，設想精妙，窮極巧思。這批花燈在春節之前，由宸濠派人進貢入京，並且特派老師傅的徒弟隨行佈置。徒弟說：『普通一般的花燈是臨空懸掛，這些花燈與眾不同，要附著於牆壁之上，才顯得特別好看。』

此外，他又把宮中的白石玉欄杆用彩色氈膜密密的裹了起來，平添了許多鮮艷。

正月十日開始點燈，牆壁上的花燈，一盞一盞的前後亮起，在漆黑的星光之中，分外的亮麗奪目。武宗不知見過多少花燈，但此時一片燦爛，不覺為之心醉。武宗貪看美景，簡直捨不得入睡。

花燈興興旺旺的連點了三天三夜，把門窗烤得極為乾燥，突的，一陣風吹過，花燈的棉紙觸到了燈中的蠟油，『噗嗤』一聲，爆起了火花。假如是臨空懸掛的還不打緊，但現在燈籠是黏在牆壁上，而古代房屋室內牆壁又都是木板的，燈籠一著火，火舌就把木板牆壁給燒著了，接著席捲了木製的門窗，火勢便一發不可收拾。

不一會兒，火舌竄到欄杆，『轟』一聲巨響，竟然爆炸了。原來，宸濠在氈膜之下埋藏了炸藥，火勢一發不可收拾。

宮內的人都驚慌萬分，忙著提水桶救火。此時，明武宗卻好整以暇，端著一盃酒，站在遠遠的豹房高處遙望，他特別『欣賞』欄杆的爆炸，彷彿一個個煙花流星射入天空，燦爛照耀，美不勝收，『嗤』的一聲，此起彼落，武宗看得大悅，竟然不自覺的鼓掌讚歎：『像一蓬大煙火！』

閱讀心得

【第909篇】

宸濠送『棗梨薑芥』四色禮。

寧王宸濠不懷好心，進貢入京的元宵花燈暗藏玄機，不但把花燈黏著於牆壁，甚且在包裹欄杆的五彩氈膜之中，偷偷放了火藥。火勢蔓延，乾清宮化爲灰燼。明武宗卻在豹房高處眺望欣賞。

當宸濠聽說，武宗對此爆炸事件的反應是：『好像一蓬大煙火！』宸濠心中眞是五味雜陳，又吃驚，又慶幸，又好笑，不過最強烈的一分感受是，『如此不堪的大明天子，那還不如換我來當。』

原先，宸濠的野心沒這麼大。由於武宗無子，宸濠希望兒子能夠有一朝入承大統，自己以太上皇之尊，可以控制大局。錢寧願意與宸濠勾結，理由也在建擁立之功，倒不是幫助宸濠造反。

宸濠的胃口隨著武宗的任性胡爲逐漸養大。他的勢力，則在用心規劃之下日益擴張。宸濠的計策可分爲文武二方面。

先談文的這部分，宸濠裝出禮賢下士的模樣，曾經延攬了不少人才，包括鼎鼎大名的唐伯虎。

提起『江南第一才子唐伯虎』，這是中國人再熟悉不過的歷史人物，他的十美圖，他的三笑姻緣讓中國男人艷羨不已。不過，眞實的唐伯虎可沒有那麼幸運。他嘗盡了人生坎坷辛苦，一輩子鬱鬱悶悶。關於唐伯虎的故事，我們以後會另闢篇章詳細敘說。

言歸正傳，宸濠曾經在南昌，設立了一座風景宜人的陽春書院，作爲儲備人才，籠絡士林之地。唐伯虎因爲遭受科場冤獄，沮喪煩憂，宸濠認爲如此滿腹牢騷的才子，正是他所要爭取的對象。

因此，宸濠扮成劉備訪求諸葛亮的模樣，卑詞厚幣，把他給請到了南昌。唐伯虎是個善良單純的讀書人，誤以爲遇上了如昭明太子般的賢王。

等到唐伯虎發現，宸濠並非善類，並且有意造反，嚇得差點沒昏過去。但是，該怎麼脱身呢？想來想去，只有裝瘋，脱得一絲不掛的又叫又閙，宸濠大爲失望，只好把『瘋子』送回蘇州，唐伯虎這才脱離魔掌。

至於武的方面，宸濠的方式非常原始，乾脆就用搶劫增加財富。他家中養了一批強盜，約有數百人之多，稱之爲『把勢』。後來，一些豪門將自家武師稱之爲『把勢』，大約由此而來。

既然宸濠要當強盜，正直的地方官自然與宸濠不合。曾經有江西按察副使胡世寧，在正德九年上疏，裡面講得非常赤裸裸：『寧府威日張，不逞之徒群聚而導以非法。』

結果，糊塗的武宗，根本沒看到胡世寧所上的書奏，錢寧把奏疏交給了宸濠，可憐的胡世寧，被宸濠一路追殺，最後且被關入錦衣獄中。

雖然有胡世寧的例子在前，江西左布政張嵿依然強硬不屈，宸濠想強佔官地，張嵿說：『不可。』宸濠想拓寬王府，張嵿又說：『不可。』

有一天，宸濠派人送了四色禮給張嵿，張府的管家先是不收，使者

宸濠送『棗梨薑芥』四色禮

說：『沒甚麼，不過是四樣最便宜的果蔬。』

原來，宸濠送的禮是一盒棗子、一籃梨子、一包薑、一包芥。

張府的人覺得納悶：『這棗、梨是名貴水果，倒不奇特，怎麼有人送薑、送芥，莫非是江西特有的風俗？』

張嵿捋鬍而笑：『寧王送來棗、梨、薑、芥，他是希望我「早離疆界」，別留在這兒礙事。』

張嵿不把這個當一回事。但是，不久，他剛好被召爲光祿卿，也就離開了是非圈。

張嵿之後的巡撫王哲沒那麼幸運，因爲不肯依附宸濠，宸濠怒由心生，居然派人下了毒，害得王哲病倒在床，雖然找來大夫急診，拖了半年溘然而逝。

王哲死後，董傑代之，過了八個月，董傑也去見閻王爺。大家心裏都有數，董傑之死並非生病而死，是被人害死的，董傑之死，宸濠是幕後看不見的黑手。

一件一件的案子，接二連三的發生，朝廷官員個個惴惴不安，誰都害怕奉派去南昌；南昌的人也都清楚，宸濠圖謀不軌，事情愈鬧愈兇，只有明武宗完全不知情，一心扮演朱壽，過騎馬打仗耀武揚威的癮。

閱讀心得

【第910篇】

宸濠以孫燧祭旗。

明武宗任性胡爲，外加沒有子嗣。寧王宸濠在南昌作威作福，頗有奪位的野心。由於宸濠手段毒辣，地方官屢屢受害，朝廷官員個個擔心被調到南昌。

就在此時，弘治六年的進士孫燧奉命巡撫江西。孫燧是個正直的官員，他知道此去如果不肯聽命宸濠，恐怕是凶多吉少，他歎了一口氣道：『只好以赴死的精神前往。』因此，他把妻兒送回家鄉，只帶了二名書僮前往上任。

宸濠聽説孫燧以義氣聞名，一方面賄賂朝臣，想辦法把孫燧調走，一方面又遣人送了棗梨薑芥四色禮物，希望他知難而退『早離疆界』，孫燧看著禮物笑道：『奇怪，他怎麼不換一些新的把戲？』

孫燧曾經七次上疏，報告宸濠的陰謀，希望朝廷早日防範，很可惜的，卻被宸濠收買的人暗中把奏疏給半途攔截，到不了皇帝手中。

孫燧沒可奈何，但是卻並不死心，他不斷在動腦筋，思索能否用迂迴的方式點醒皇帝。沒過多久，機會來了。原來宸濠的父親過世，宸濠想沽名釣譽，博一個孝子的美名，所以，收買了鄉里之間一些無行的秀才，聯合起來聯名具稟，誇耀宸濠如何孝順，希望官府予以保舉。宸濠又不是普通老百姓，他是藩王，哪兒用得著百姓保舉？

正因爲這件事十分奇怪，孫燧故意具奏上聞，期望武宗能夠稍微注意宸濠，又因爲這是爲宸濠美言的奏章，因此頗爲順利的送到了武宗的跟前。

武宗雖然貪玩，倒也不笨，他狐疑的問道：『爲官如果孝行可風，朕該升他的官，朕不明白保舉藩王幹甚麼，莫非是保舉他來當皇帝？』

江彬趁機說：『他們稱寧王孝順，諷刺陛下不孝，稱寧王勤勞，譏諷陛下不勤勞。』

明武宗大爲光火，此時京中盛傳，萬歲爺準備懲罰寧王宸濠。宸濠派在京師的偵卒林華連夜趕回南昌報訊。這天六月十三日，剛好宸濠在過生日，席開數十桌，鬧得一塌糊塗。

林華報告宸濠之後，宸濠嚇得酒也醒了，他支支吾吾道：『快、快請劉先生。』

劉先生是劉養正，他是宸濠的謀士，宸濠一向最信任他。

深夜，宸濠與劉養正在書房內密談。宸濠把京裏的消息告訴劉養正。劉養正沉思片刻，面色凝重的說：『恐怕皇上已起疑心，如果皇上派重臣或心腹前來搜查，那就大事不妙了。如今之計，還是先下手爲強，王爺可以先起事，不能坐待逮捕。』

『我也害怕皇上派心腹前來。』宸濠點點頭道：『不過，事情該如何進行？』

『明天，』劉養正說：『明天，南昌的百官都會前來王府道謝今天王爺的賜宴，利用這個機會宣布起事，把不依附的人統統抓起來。』

『好，就這麼辦！』宸濠手握拳頭，用力一拍桌子，表示起事的決心。

第二天上午，南昌的百官到王府來拜謝王爺的盛宴。當官員都到齊了，孫燧來到大廳，站在大廳廊下與院子裏的官員一齊向宸濠行禮致謝。宸濠一揮手，會場立刻肅靜下來，宸濠提高了嗓門說：『有一件驚天動地的大事，各位可曾知道？』

衆人的眼光一起射向宸濠，宸濠道：『此乃大義所在，孝宗爲太監李廣所誤，抱民間子爲親生兒子，我明朝列祖列宗不能享用血食，已達十四年之久。如今我奉太后密詔，命我起兵討賊。』

這是聞所未聞的荒誕說法。大家都曉得宸濠早晚會起兵，卻沒料到是這樣的方式。孫燧心想，該來的總要來的，他心繫妻兒，尤其是三個聰明優秀人人誇讚的兒子，但是，當孫燧赴南昌上任之時，已經決定犧牲了。

因此，孫燧不客氣的反問：『王爺爲何出此言？果眞如此，請王爺拿出太后的密詔來。』

宸濠不料孫燧有此一問，他惱羞成怒蠻不講理道：『你不用多說，我現在赴南京，你來保駕。』

宸濠的狐狸尾巴終於露出來，孫燧大怒，說道：『你是自己找死，天無二日，地無二君，你想，我會跟著你造反嗎？』

『快，替我把這個不識好歹的人捉了起來！』宸濠一聲令下，孫燧立刻被五花大綁，謝宴的官員個個呆若木雞，不曉得該如何應付這突發的場面。只有那按察副使許逵叫了起來，攘臂向前，對著宸濠抗議：『孫巡撫是天子大臣，王爺怎能夠隨便侮辱？』

許逵是練過功夫的，三兩個人還近不了他身，無奈寡不敵衆，一群人蜂擁而上，打斷了許逵的手臂，把他與孫燧一塊扭了出去，架到惠民門外，砍下了二顆人頭祭旗，宸濠就此起兵。

由於江西人民對孫燧十分欽佩，因此，在《明史・忠義傳》中有一段記載，孫燧生有異質，兩目爍爍，夜間也能炯炯發光，他死的那一天，突然天空陰慘，烈風驟起，城中人大爲驚恐，後來發現他二人屍體，上面籠罩一片烏雲，彷彿神明在暗中保佑。

閱讀心得

【第911篇】許逵一門俊秀。

宸濠在王府之中，公然宣布起兵，除了孫燧詰責之外，只有許逵一人採取行動，其他官員都只有驚愕失色，呆若木雞。

許逵是正德三年進士，允文允武，沈靜而有謀略，雖然是文人出身，卻會帶兵打仗，對付盜賊有一套。正德十二年，許逵擔任江西副使，與孫燧十分相投，他倆同時收到宸濠送來的『棗、梨、薑、芥』四色禮，卻沒有接受暗示『早離疆界』。

許逵曾經對孫燧分析：『寧王之所以敢貪暴，主要是靠中央權臣的撐腰；中央權臣之所以一意護著宸濠，還不是貪圖重賄；宸濠能夠負擔重賄，那是因爲他養了一批盜賊，今天如果把盜賊翦除乾淨，宸濠就不能爲患了。』

因此，許逵就毫不客氣的捉拿盜賊，宸濠發現他玩眞的，自然十分不悅。

當宸濠一派胡言，公開宣稱，他接到太后密詔，出兵捉拿武宗，因爲武宗是民間抱來的假子時，孫燧要求宸濠拿出密詔，宸濠惱羞成怒，下令綑綁孫燧，許逵立即站了出來，用身體護著孫燧，一雙怒目狠狠瞪著宸濠。

宸濠被他看得不自在，大聲嚷嚷：『你以爲我就不敢殺你嗎？』許逵立刻回罵過去：『你能殺我，沒錯。但是，天子能殺你，你這個造反的賊子，你會被碎屍萬段，到那時候，你要後悔就來不及了。』宸濠簡直氣壞了，高聲喝斥：『快，把許逵綁起來，拖出去，砍他的脖子。』許逵被幾個壯漢拖曳出去，脖子上挨了一刀，鮮血直噴，可他就是不下跪，嘴裏還罵個不停。衆賊全力推許逵，他應聲而倒，隨即斃命，始終沒下跪，死時才只有三十六歲。

原先，許逵剛調到江西不久，他寄了本《文天祥集》給他的好朋友給事中張漢卿。

張漢卿接到集子，十分奇怪，因爲這本書他也有啊。張漢卿抖開信封，沒有發現任何其他便箋，一頁一頁翻閱，也不見任何眉批。突然之間，張漢卿有一種不吉祥的預感直上心頭，捧著書的手也微微顫抖。他憂形於色對朋友說：『宸濠必反，許逵莫非是想效法不屈元人的文天祥，也想以死明志嗎？』

從此之後，張漢卿心中始終懸著一顆巨石。他也沒有去信奉勸許逵，他知道，勸了也是白勸，心中也頗以有如此知己爲豪。

當宸濠終於造反，殺了一個御史、一個副使的消息傳來，許逵的父親，立刻換上了早就準備妥當的白衣素服，並且在家中設置靈堂。

鄰居覺得好奇怪，跑過來勸阻：『許老伯，現在事情還沒有明朗，副使又不止是許逵一人，一省有七、八個之多，有兵備副使，有分巡副使，

你怎見得一定是令郎遇害？』

許父平靜的上香，緩緩的說：『沒錯，既然是副使，一定就是逵兒。』

『這……』鄰居安慰許父道：『等到確定不是許逵，咱們再來向你道賀，逃過一劫。』

許父搖搖頭：『不用了，這是逵兒的心願，逃也逃不掉。』

鄰人走出許宅，都認爲許父不可思議，凡事幹麼盡往壞處想，甚且有人說：『沒錯，殉國是很光榮，但是，千古艱難唯一死，也不一定就剛好是許副使啊。』

等到惡耗傳來，死的果然就是許逵。親朋好友一齊湧向許宅，許父淚光瑩然，他的表情十分複雜，有哀痛，有傷心，有不忍，也有以子為傲的欣慰。

許逵的長子許瑒，一向聰敏好學，最為崇拜父親，聽說了許逵死的經過，既痛恨宸濠的殘暴，又心憐父親死得慘烈，悲傷得不能自己。

到了明世宗嘉靖元年，為了表彰許逵的忠烈，改贈禮部尚書。許逵的兒子許瑒六年之後，因父蔭得官，有人打趣他『因父死而得官』，許瑒悲從中來，嚎啕大哭，把開玩笑的人驚怔得說不出話來。

至於孫燧的後代更了不起，有子三人，人稱『三孝子』，孫燧子孫有六人在明史中有傳，其中一人還當了宰相。中國人常說『忠臣必出於孝子之門』，又說『積善之家，必有餘慶』，的確有相當的道理。

閱讀心得

【第912篇】王陽明推崇伯夷叔齊。

宸濠造反的消息傳到京師，朝廷議論紛紛，個個驚慌不已，只有兵部尚書王瓊一派鎮定，他胸有成竹道：『諸君勿憂，我用王伯安守贛州，正爲今日，沒多久，賊旦夕可就擒。』

王瓊所說的王伯安，指的是王守仁，也就是大名鼎鼎的王陽明先生，關於王陽明的故事，我們以後會詳細從頭說起。現在先談他與宸濠這一段。

王陽明在劉瑾死後，得到兵部尚書王瓊的賞識，王瓊把王陽明派到贛州（贛州在江西南部，和南昌很近），目的就是暗中監視宸濠。事實上，王陽明也早就發現宸濠有造反的野心。

有一回，宸濠邀宴王陽明，並且找了退休的侍郎李士實相陪。酒過三巡之後，宸濠開始數說明武宗的種種不是，講得愁眉苦臉，彷彿憂國憂民。

李士實旁敲側擊道：『莫非世上就沒有湯武了嗎？』

『湯』是成湯，因爲夏桀無道，成湯推翻夏朝，建立了商朝；『武』則是周武王，推翻商紂，建立了周朝。李士實的意思，很明顯的是把明武宗比喻爲桀、紂，把宸濠比喻爲拯救天下蒼生百姓的湯、武。

王陽明立刻答以：『湯武也還須要有伊呂。』

『伊』是伊尹，輔助成湯的賢相，『呂』是呂尚，也就是姜子牙，乃輔助周武王的名臣。王陽明的意思是奉勸宸濠，你身旁既無伊呂之類的賢人，還是乖乖的，別動甚麼歪腦筋吧，至於李士實這種三流角色，根本不用看也知道不行。

李士實不服氣道：『有湯武就有伊呂。』

王陽明立刻攻回去：『有伊呂就有夷齊。』

『夷』是伯夷，『齊』是叔齊，伯夷、叔齊是商朝時孤竹君的兩個兒子。孤竹君老了，想把王位讓伯夷繼承。可是，等到孤竹君死了，伯夷這個老大認爲小弟叔齊比他賢德，因此，想由叔齊繼承，叔齊不肯，他說：

『父命不可違。』

爲了表明決心，叔齊竟然出走。不料，叔齊出走之後，伯夷也逃了，最後，兩人讓來讓去，就由中間的兒子繼承王位。大家對於伯夷叔齊互相讓賢的作風讚美不已。

後來，周武王起兵伐紂，伯夷叔齊忠於商朝，期期以爲不可，所以叩馬上諫：『父死不葬，馬上動兵，你這樣能稱孝順嗎？以臣弒君，可謂仁嗎？』

此時，周武王左右的人準備把伯夷叔齊捉起來，周武王立刻阻止：

『此二人，義人也。』

等到周武王平定了天下，建立了周朝，伯夷叔齊以爲，食周粟是件可恥之事，因此，隱居於首陽山，只吃一些叫做『薇』的野草，沒多久，兄弟二人在首陽山活活餓死。

在春秋爭權奪力的時代裏，伯夷叔齊的作風是一股清流，因此，孔老夫子特別推崇這二人，除了顏回之外，就數伯夷叔齊得到孔子的誇讚最多。

例如《論語·公冶長篇》孔子說：『伯夷、叔齊二人，不念過去的夙怨，不想報復，於是，人們對他二人的怨恨自然就少了。』

例如《論語》的〈述而篇〉中，冉有問子貢：『不曉得我們的老師會不會幫助衛君？』

當時孔子正在衛國，衛國父子爭奪君位。子貢對冉有說：『我也正好奇，我準備去問一問。』

但是，子貢又不敢冒冒失失的開口，於是旁敲側擊問孔子：『伯夷叔齊是甚麼人？』

『是古之賢人也。』

『他們殉國讓位，後來不曉得會不會後悔？』子貢問。

『怎麼會呢？』孔子回答：『他們求仁而得仁，有甚麼悔恨的呢？』

子貢出來，對冉有說：『老師是絕對不會幫助衛君的。』

另外，《論語·季氏篇》中，孔老夫子也讚揚伯夷叔齊道：『齊景公有四千匹馬，到他死的時候，人民對他沒甚麼可稱讚的。伯夷叔齊餓死在首陽山，人民到現在仍然讚美不已。』

由於孔老夫子的大力宣傳，在中國讀書人心目之中，伯夷叔齊是忠孝德行的化身。

王陽明脫口而出：『有伊呂就有夷齊。』言下之意，他就要效法伯夷、叔齊。不過，王陽明是個積極的人，他不會只餓死在首陽山。

在宸濠起事的前一個月，恰好福州兵變，兵部尚書王瓊便以此爲名，奏准皇帝，下了一道『便宜行事』的敕書給王陽明，也就是說，他具有調動兵馬的權力。現在，宸濠果然造反了，王陽明也有意便宜行事了。

閱讀心得

【第913篇】

『王失機』與黃石磯。

宸濠終於起兵造反。雖然兵部尚書王瓊信心滿滿，不斷安慰大家：『儘管放寬心，沒多久便有王陽明的捷報傳來。』朝廷依然個個惴惴不安，畢竟藩王起事非吉祥事也。

但是，獨有一人樂不可支，那人便是正德皇帝。這個明武宗少不更事，他本非驍勇善戰之人，卻著迷於上戰場耍威風，他不是眞要打仗，卻想藉機會離開京城，到處逛一逛玩一玩。當武宗聽到宸濠造反的報告，立刻下令大將軍『朱壽』領兵征討宸濠，『朱壽』就是武宗自己，這一回明武宗爲自己定的稱號是『奉天征討威武大將軍鎭國公』。

正德十四年七月裡，明武宗浩浩蕩蕩出師。武宗親征有一特色，衣服特別漂亮，旌旗耀日、鎧甲鮮明，遠遠望去，彷彿端午節賽龍舟般光彩耀目。

另一方面，王陽明正積極設法平亂。臨江知府戴得孺向王陽明報告：『根據密報，目前宸濠有三策，正在舉棋不定。上策是直趨京師；中策是占領南京；下策則是盤據南昌老巢伺機而動。』

王陽明雖是學問中人，但也是個軍事長才。他分析道：『假如用上策，直搗京師，天下不安。如用中策，占據大江南北，同樣動搖國本，唯有讓他死守南昌，對我大明朝的傷害會減到最小。』

下一步，王陽明就要設法，如何讓宸濠願意待在南昌。王陽明僞造了多起公文，以兵部爲名義，命令兩廣巡撫、南贛巡撫、湖廣巡撫分別派遣軍隊，全力直攻南昌。

此外，王陽明又親筆寫了信給劉養正、李士實，嘉勉他們裡應外合，叮囑他們早日勸宸濠離開南昌，以便活捉宸濠。信寫好之後，放入蠟丸之中（中國古人每每用蠟製成圓形外殼，內放文件，以防洩漏或潮濕）。

王陽明的蠟丸製成後，他用巧妙方法，落入宸濠手中，宸濠一看大驚，心想那劉養正、李士實怎麼也和王陽明勾結，準備把自己誘出南昌，在半路活捉，這計謀太可怕了。

宸濠正在驚慌之中，半信半疑，心中起伏不定，恰好謀士劉養正進來，宸濠忙把蠟丸藏好，劉養正懇切的對宸濠說：『死守南昌不是個辦法，應當早日攻取南京。』

宸濠一向對劉養正言聽計從，如今卻遲疑了。他定定的望著劉養正，心中想的卻是：『假如你背叛我，這張臉裝得倒挺像的。』

宸濠由於受到蠟丸書的影響，不敢照劉養正的計謀出兵攻取南京，而選擇了暫時留守南昌，王陽明卻利用了這個時機，完成了部署。

等到宸濠發現上了大當，怒不可遏，聯合浙江鎮守太監畢眞，撲向安慶。

這時，王陽明已經調集了三十萬兵馬，問題是，這三十萬大軍，究竟應該先攻安慶？還是先攻南昌？大部分人主張先攻安慶，因為『南昌必然防守嚴密，宸濠打安慶，久攻不下，我軍北上與守軍聯合，必勝無疑。』

王陽明的看法不一樣，他說：『南昌乃宸濠之根本，如果南昌有警，宸濠必然回師來救。如此，安慶之圍可解，我們可在南昌城內以逸待勞。當然，南昌必要一舉拿下。』

由於王陽明對南昌內部早已掌握，留守的宸濠軍隊更沒有料到這一著，王陽明又暗中通知南昌城內百姓內應，所以，一個晚上，王陽明就輕而易舉的光復了南昌，許多城門根本是未戰便降。

消息傳到安慶城外，宸濠急得一面抓頭皮，一面嚷著要回去救南昌，李士實與劉養正異口同聲：『反正南昌保不住了，不如留下來專心攻安慶。』

李士實、劉養正講的是實情，可是宸濠聽不進去，南昌是他的老巢，豈可被王陽明奪去？他又想起了王陽明寫給李士實、劉養正的信，愈想愈怕，直懷疑莫非他二人果然是內奸，一氣之下，調準馬頭，非全力奪回南昌不可。這一切，全在王陽明意料之中，他早算準了宸濠沈不住氣，必然會回攻南昌。

宸濠把大軍駐紮在鄱陽湖畔，準備全力攻南昌，這時，王陽明重用吉安知府伍文定猛烈來襲。

七月二十三日夜裡，雙方激戰，伍文定假裝敗退。宸濠不知是計，又一心想報仇，窮追不捨，一會兒，伏兵出現，宸濠方寸大亂，一顆心彷彿

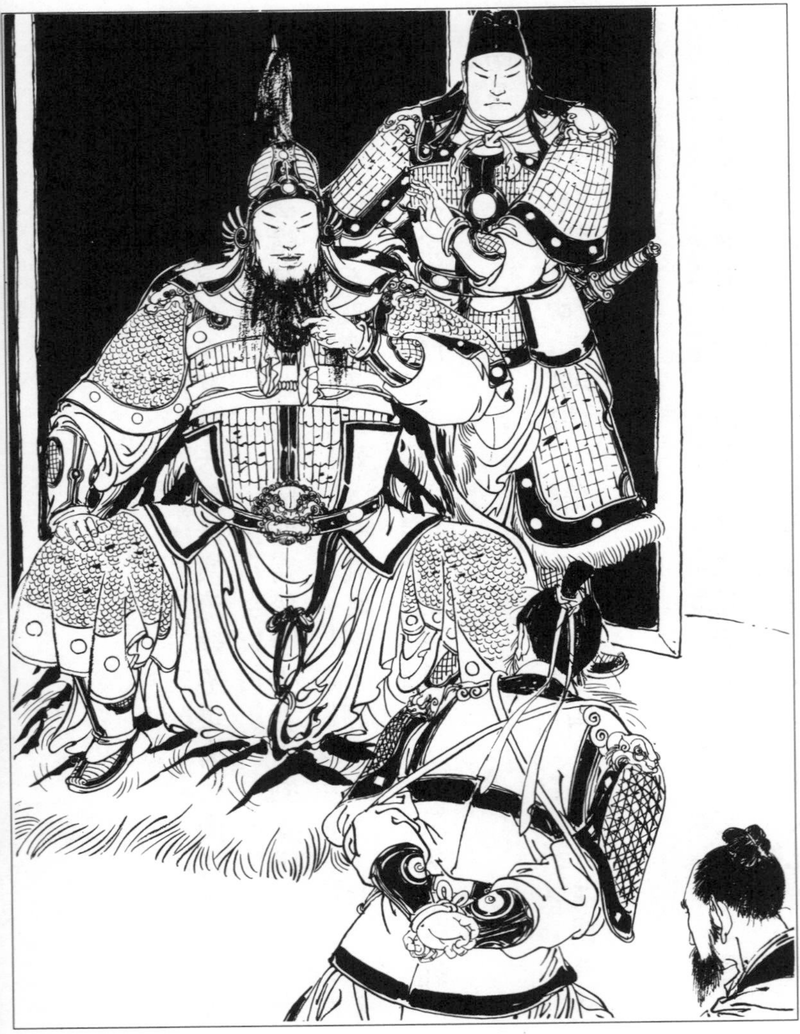

要跳出口外。

到了黎明，宸濠下令：『退兵，快！』他舉目望去，原本風景秀美的渡船口，似乎到處暗藏殺機。

宸濠不悅的問左右：『這個泊舟的地方叫甚麼名稱？』

『王失機。』

『哈，你竟然敢罵我喪失生機。』宸濠大怒。

『不是，是黃石磯。』

江西土音，王、黃原本難分，宸濠一肚子的氣，沒地方發洩，這個答話的倒楣人就這麼給推出去斬了。此後，宸濠一路敗北，終於就擒。

宸濠見到王陽明，依然不在乎道：『此乃我朱家家務。』

王陽明冷冷回了一句：『有國法在！』

閱讀心得

【第914篇】

掉落在盧溝橋的玉簪子。

在王陽明的運籌帷幄之下，宸濠之亂不到兩個月全部平定，顯然王陽明不但是思想家，更是不可多得的軍事家。

宸濠就擒之後，騎馬入南昌，見王陽明軍隊嚴整，敬謹肅穆，還故意裝成不在乎的模樣說：『這是我們朱家內部的家務事，何勞費心如此？』造反在中國古代是最不得了的事，豈是輕輕一句『家務事』可以帶過去。王陽明淡淡的回答：『有國法在。』

宸濠不死心，繼續追問：『王先生，假如我盡削護衛，請降爲普通老百姓可不可以呢？』

王陽明還是那一句話：『有國法在。』

宸濠自知難逃一死，失望的低下頭來。

當初，宸濠準備起事造反之時，他的妻子婁妃屢次苦勸，宸濠總是不肯聽。如今宸濠沮喪的被關入囚車之時，後悔的哭泣道：『昔日，商紂用婦人言而亡天下，我以不用婦人言而亡其國，現在悔恨也來不及了。』

或許正應了曾子那一句話：『人之將死，其言也善。』宸濠死到臨頭，想起婁妃一次又一次流著眼淚苦勸，他總是粗暴的嚴厲喝斥，非常後悔，終於良心發現，哀求王陽明道：『婁妃乃賢妃也，自起事開始，她一直苦諫，只是我昏了頭沒有採納，後來更投水自盡，希望能夠好好埋葬她。』

王陽明當場答應了宸濠的請求。

王陽明派了一個使者前往，果然自水中打撈出來婁妃的屍體。她因爲懼怕被人侮辱，全身且纏滿了繩子。王陽明不禁讚佩道：『不愧是婁忱之女，家教謹嚴。』

接著，王陽明搜出了許多宸濠賄賂官員的證據，如果把這些信件全部上報，必興大獄，造成朝廷不安。因此，王陽明很果斷的一把火把信件燒個精光，若是換個心機深的小人，手中捏著證據，可以好好敲詐一番。

當然，在這其中，特別案情重大的，自不可逍遙法外，例如小寧兒錢寧。錢寧不但後來被處死，並且被抄家，共得玉帶二千五百條，黃金十餘萬兩，白金三千箱，還有胡椒數千石，胡椒進口自南洋，在當時可相當的名貴。

王陽明平亂之後，曾經立刻上奏給明武宗，並且勸諫武宗切莫再親征，他的理由十分婉轉，『御駕親征，萬一沿途埋伏有奸黨，效法荊軻刺秦王之謀，將會造成不可挽回的遺憾。』

明武宗接到捷報，只覺掃興，決定不對外宣布，繼續親征大計。當一群人浩浩蕩蕩經過盧溝橋，明武宗突然之間大驚失色道：『不得了，不得了！』

正德皇帝一向吊兒郎當，天塌下來也不管，現在突然大呼小叫，究竟發生了甚麼緊急事件？大家都非常訝異。

『糟了，劉美人的玉簪不見了。』武宗正色道。

原來是這麼一回事，眾人放寬了心，有人隨口道：『掉了就掉了，再送她一支就是了。』

『不成！』武宗呼道：『這是我和劉美人之間的信物，丟了可不成，快快快，一定是掉在盧溝橋上，大家分批去找。』

一聽此話，個個心都涼了。這該如何找法？沒可奈何，只好派人跪在橋上，展開地毯式的搜索工作。

按盧溝橋位於北京市西南，跨永定河（又名盧溝河）上，初建於金章宗大定二年，明章三年完成，長二百餘步，由十一孔石拱組成，橋旁石欄上精刻四百八十五頭石獅子，姿態各異，生動雄偉，是京師交通要道，『盧溝曉月』爲燕京八景之一。

然而大批人馬，從早到晚，趴在橋上找尋玉簪，這簡直是大海撈針。況且玉簪怕早落入河中，再說十幾萬軍隊呼嘯而過之地，怎可能找到一根小小玉簪？

到了天黑，實在尋不著，太監只好硬著頭皮向皇上回報：『到處都找遍了，就是沒有。』

『那麼，』明武宗下令：『明天再找。』

這一回，大家都明瞭武宗的決心，硬是一寸一寸從頭到尾，仔仔細細尋尋覓覓，不過，終究還是徒勞無功。

如此這般，一連找了好多天，還是找不著，最後，明武宗自己不耐煩，只好繼續前進。

到了臨清，明武宗又非常想念劉美人，派人去迎接。

劉美人嬌聲詢問：『信物呢？』

使者不知此事，呆若木雞。

劉美人一扭腰肢，氣鼓鼓道：『說好要拿信物來的，既然這樣，我就不去了。』說著，劉美人還用力的跺了跺腳。

使者愣住了，驚訝道：『這……這是違抗聖旨。』

劉美人雙手扠腰，擺出茶壺姿態：『違抗又如何？』

劉美人終究沒隨著使者前去。

閱讀心得

【第915篇】

黑老婆殿的劉美人。

明武宗號稱親征宸濠，大軍初發，在盧溝橋上遺失了劉美人的一根玉簪子，這是武宗與劉美人之間的信物，武宗命大軍搜尋數天，大海撈針尋不著，只好失望的繼續前進。

留在通州的劉美人，果然也眞是任性，沒見到玉簪子，說甚麼也不肯前來，明武宗索性自己騎了馬去接美人。

根據《明通鑑》正德十四年九月戊戌的記載『姬以沒有信物，不肯前往。於是皇上自臨清北行，乘單船趁夜趕到張家灣，載得劉美人俱南下』。

堂堂皇帝，放著十多萬大軍置之不理，眼巴巴去追劉美人，這劉美人究竟是何方神聖，能讓在女人堆中打滾的明武宗這般迷戀？

原來，正德十三年，明武宗在太原時，曾經欣賞過一場歌舞表演，其中有一名歌妓，模樣漂亮，歌聲婉轉，而且一雙俏眼睛，瞟過來又瞟過去，直盯著武宗笑，武宗最喜歡這種誘人風情，當下就被吸引住了。

表演節目未完，明武宗已經急著打聽：『那一位漂亮的黑美人是誰？』

這位黑美人是晉王府中樂工楊騰的妻子。照理說，已婚婦人豈可入

宮，但是，武宗向來不管這一套。這位皮膚奇黑，作風潑辣的美人兒，也樂得甩下沒出息的丈夫，開開心心挽著明武宗回到京師。

武宗雖然愛胡鬧，宮裡到底有宮裡的規矩，美人兒再美，到底是結過婚的，不能冊封。武宗不在乎，喚她爲劉美人，他說：『美人一來是第四等宮眷名稱，二來朕覺得你這麼美，最適合美人的名稱。』

劉美人媚眼一拋，用手指指著武宗的腦門：『你這個人，最愛亂說話。』

劉美人被安置在豹房旁邊騰禧殿，成爲武宗的新寵。由於她長得黑，即使用厚厚的白粉塗了又塗，仍然黑得發亮，再加上她不是正式冊封，因此，有好事者戲稱騰禧殿爲『黑老婆殿』。

這個黑老婆，出身歌妓，毫無教養，甚麼粗話髒話都朗朗上口，當著臣子的面，就會挨上前去與武宗親熱，甚且一屁股坐在武宗的身上撒嬌。武宗向來討厭規矩，對劉美人這鄙俗的新鮮著迷萬分，經常兩個人公開表演摟摟抱抱，肉麻當成有趣，其大膽的程度，眞讓宮中人開了眼界。

劉美人是個厲害角色，她曉得自己出身低沒身分，必須使些手腕才能確定地位。

沒多久，機會來了，有個小宮女犯了錯，武宗正在氣頭上，小宮女哭著向劉美人求救：『請劉娘娘幫幫忙，萬歲爺一定息怒。』

劉美人原是個黑市美人，被宮女一下子抬成了娘娘，心中欣喜不在話下，她篤定的回答：『沒問題，包在我身上。』

到了晚上，劉美人向武宗求情，武宗先是不肯。劉美人突然變了臉，用高八度的聲音回過去：『你讓我沒面子，我也不理你了。』說著，頭一扭，自顧自的走了。

想武宗自幼被捧在手中，從來還沒有誰對他大聲講話，因此一下子呆住了，又眞怕美人萬一不理他怎麼辦，忙不迭哀哀求饒，劉美人這才回嗔轉喜，用尖尖的長指甲，狠狠的戳著武宗的眉心，半帶威脅：『看你以後還敢不敢？』

武宗的眉心被刺得好痛，這也是他這輩子沒嘗過的滋味，他並不喜歡被喝斥被責罰，但是因爲缺乏被兇的經驗，劉美人一發威，他就不由自主的完全投降了。

江彬之流發現這種狀況，立刻改口喚劉美人爲劉娘娘，劉娘娘喊喊就罷了，江彬竟然自稱爲兒子，劉美人當然更樂了。

當武宗不在的時候，劉美人與『兒子』江彬打打鬧鬧，眉來眼去，她出身歌妓，慣常打情罵俏，江彬人又魁偉，劉美人歡喜貼著江彬的臉說悄悄話，江彬先是不敢吃娘娘的豆腐，後來發現劉美人喜歡投懷送抱，也就不吃白不吃了。

宸濠作亂，武宗決定親征，又割捨不下劉美人在宮中，於是，武宗想了一個辦法，他準備把劉美人安置在通州，然後再接到軍隊裡，免得攜美出征，大臣們又嚕嚕囌囌。

臨行之前，劉美人拔下頭上的玉簪，親手藏入武宗的內衣裡，嬌聲嬌氣道：『這是你我之間的信物，可別弄丟了啊。』

武宗彷彿嘗到了小兒女私訂終身的甜蜜，覺得十分新鮮。不過，等到快馬加鞭一上路，卻把玉簪忘得一乾二淨。因此，當武宗發現之時，急得滿頭大汗，逼得大軍非在盧溝橋找到信物不可。

後來，玉簪找不著，太監去接劉美人，美人硬是不肯動身，太監恨得牙癢癢的，他心想，擺甚麼臭架子，又不是眞娘娘，氣得就想甩劉美人兩個巴掌。

但是，武宗就是吃劉美人這一套。爲了彌補過失，備了一條小舟就親自去接美人，除了隨身侍從，內外官員一概不知，在中國歷史上，如此勇於闖蕩江湖的皇帝也是少見。

閱讀心得

【第916篇】

王陽明巧遇張永。

明武宗遺失了劉美人的玉簪，這是他倆之間的信物，因此，武宗撇下軍隊，乘了一艘小船，趕到通州，把美人接上船。

劉美人好樂，皇帝果然乖乖就範。但是，她還是要故意大發嬌嗔，用力的掐著武宗的手臂：『萬歲爺怎麼把信物眞的弄丟了？』

明武宗一面嗯嗯啊啊的應著，眼睛卻盯著對面官船上一瞥而過的倩影。他高聲大叫：『快，快讓官船停下來。』

對面官船原來是湖廣布政司參議林文纘，他發現當今天子竟然在對面小舟上，嚇得在船頭就跪下了。

明武宗問：『方才朕看見一位美女在船頭出現。』

『噢，』林文纘不敢隱瞞：『那是臣新娶的小妾。』

明武宗興趣來了：『把她叫出來給朕瞧一瞧。』

林文纘知道武宗是個花花皇帝，可是他也不敢不把小妾喚出。這小妾一副小家碧玉模樣，清清秀秀，含羞帶怯，十分生嫩，與劉美人的成熟艷麗大不相同，各有各的特色。武宗愈看愈歡喜，當下便對林文纘說：『你這個小妾朕要了。』

林文纘好生不捨，直懊惱運氣不佳，早知如此一定把小妾藏在船艙的小妾接到明武宗的船裡，不讓她出來露面的。事已至此，沒有二話，只得把小妾接到明武宗的小舟上。

劉美人正在得意，不料自天而降一個情敵，醋意大發，氣得哇啦哇啦亂叫。不過，明武宗不予以理會，到底他是皇帝，到底一切由他作主。

明武宗帶著劉美人，以及新搶到手的小妾回到了臨清。過了沒兩天，覺得一切索然無味。他是皇帝，要甚麼就有甚麼，正因爲如此，所有一切都不珍惜，既然不珍惜，得來容易，也就不容易帶來快樂與滿足。

武宗無聊的走過來逛過去，沒精打采，呵欠連連，他把這一切全都怪到王陽明身上去，大老遠跑來親征，結果王陽明已經把宸濠給俘虜了，掃興之至。

明武宗踢著石頭生悶氣：『從京師出征，就是要去活捉一個俘虜，那才好玩。』

江彬立刻順著武宗的話：『這才能顯現大將軍神威。』武宗歡喜人們稱他為大將軍。

江彬眼珠子一轉，突然興奮莫名：『不如命令王陽明，把宸濠放回鄱陽湖。』

這種荒唐可笑的主意，虧得江彬想得出來，但是，明武宗認為這個主意挺不錯的，於是下令張忠、許泰率領禁軍前往江西，以大將軍的『鈞帖』通知王陽明，把宸濠放回鄱陽湖，靜候皇帝親征。

儘管王陽明是個修養深厚的思想家，聽到如此荒誕的消息也不免氣得胃痛，當今天子顯然完完全全不以天下百姓爲念，他說得輕鬆，先放了再捉嘛，這放虎歸山，未必能夠再捉得回來，更何況如此一來，又有多少蒼生受罪。

王陽明決定，他不能接受如此荒唐的命令。於是，他帶著宸濠，取道浙江，轉往南京，在南京巧遇明武宗派來的先遣部隊——太監張永。張永也就是當年與楊一清合謀除掉劉瑾的人。

王陽明認爲，張永是個有良心的太監，因此誠懇的請求張永：『張公公，江西的百姓全靠你了。』

『哪兒的百姓都苦。』張永嘆一口氣。

『假如放出宸濠，百姓活不下去，只好逃到深山作亂，天下從此不寧，再說放虎易擒虎難啊。』王陽明十分懇切的分析道，並且表示：『公公中流砥柱，人所欽佩。』

張永搖搖頭：『王先生過獎了，張忠、許泰不到南昌一行，恐怕是不可能的。』

王陽明也了解，南昌再次浩劫是免不了的，『不過，』王陽明試探道：『那麼，宸濠可否交給公公，我這就趕回南昌。』

『這……』張永遲疑了，轉念一想，王陽明把如此重要人犯交到他手中，可見得王陽明對他的信任。

張永與王陽明素昧平生，初次相見，王陽明如此推心置腹，張永不得不打心裡感動，也挑起了心中一股正義之氣，他很夠意思的一拍胸脯：

『好，我就答應王先生。』

就這樣，王陽明把宸濠交給了張永。爲國家免去一場大災難，卻也爲自己帶來了另一危機。

閱讀心得

【第917篇】

小啞巴變小神童。

王陽明平了宸濠之亂，明武宗非但不高興，反而嫌王陽明壞了他御駕親征的好興致，命令王陽明把宸濠給放了。王陽明思前想後，不能放虎歸山，因此，把宸濠交給了有良心的太監張永，讓張永去處理。

王陽明深知，明武宗身邊有一批小人，慫恿武宗親抓宸濠，抓不抓得到沒有關係，他們小人可以趁火打劫，在旁邊撈一些好處。王陽明忤背皇上的意思，又得罪了皇上身邊的權臣太監，前程坎坷不在話下，王陽明清清清楚楚知道自己在做甚麼，他也坦坦然然接受未來的災難。

自小，王陽明就是胸懷大志、不同流俗的人。

王陽明是明朝了不起的思想家、軍事家、教育家，立德、立功又立言，台灣的草山改名爲陽明山，目的也是紀念王陽明。

王陽明，名守仁，字伯安，因爲他曾經在浙江四明山的陽明洞築室讀書，自號爲『陽明子』，所以世人尊稱爲陽明先生，他生於明憲宗成化八年，浙江餘姚人。

王陽明的誕生，有一段奇異的傳說：據說王陽明的母親鄭氏懷胎十個月，遲遲未臨盆，家中都很著急，恐怕會難產。鄭氏一直拖，拖到了十四個月，有一天晚上，王陽明的祖母做了個奇特的夢：她夢到一片霧茫茫的雲海，忽的響起了鼕鼕的擊鼓聲，接著，雲端走下了一位身穿紅衣、白髮蒼蒼的老神仙，神仙手中抱著白白胖胖的小男嬰。

王陽明的祖母嚇得驚醒，正準備把夢講給身旁的祖父聽，突然之間，小嬰兒的哭聲劃破了黎明的清靜，祖母不禁大呼：『天啊！這是神仙交來的男嬰！』

王陽明的祖父竹軒公趕過去一看，原來是媳婦生了一個小男孩，由於時間太湊巧，家中上上下下都深信，這個小男孩定是神仙送來的聖嬰，不可以等閒視之。

竹軒公本名王天敘，他的先人是晉代光祿大夫王賢，晉元帝時的名相王導、大將軍王敦都是王賢的孫子，大書法家王羲之則是王賢的曾孫。所謂『舊時王謝堂前燕，飛入尋常百姓家。』王謝兩家，在晉朝可是響叮噹的世家大族。以後，王家在仕途上雖然沒落，卻仍然是書香門第，在社會上享有清望。

竹軒公性情淡泊，最崇拜陶淵明，嚮往雲淡風清、瀟灑自然的人生觀。他對這個新生的小孫子非常疼愛，取名爲王雲，紀念他是自雲端神仙手中交付的嬰兒，並且把小嬰兒降生的樓命名爲『瑞雲樓』，竹軒公還親自用漂亮的書法寫了一個匾額，把『瑞雲樓』三個字掛在門楣上面。

鄉里好事之徒，經過『瑞雲樓』，少不得指指點點，敘述一遍這一段奇異的神話。

小嬰兒慢慢長大了，生得眉清目秀，非常可愛，非常乖巧。可是，說

來也奇怪，他一張小嘴始終閉得緊緊的，通常小嬰兒長到二、三歲，開始牙牙學語，可是王陽明就是不開口。

王陽明的母親鄭氏十分著急，擔心他是不是啞巴。竹軒公說：『不會的，你們瞧小傢伙一臉聰明模樣，不可能不會講話的。』竹軒公繼續教王陽明說話，不過，始終沒有任何效果。

王陽明長到五歲都沒有開口講話，所以大家都認爲他是個小啞巴。有一天，王陽明與一群小朋友在門前嬉戲，突然來了一個和尚。和尚見到王陽明，竟然呆住了，他問王陽明：『小朋友，你叫甚麼名字？』

王陽明依然不開口。

旁邊的小朋友說：『他叫王雲，他不會講話。』

和尚走過來，摸摸王陽明的頭，『唉』的歎了一聲：『好一個小孩兒，可惜被說破了。』說完，和尚就走了。

竹軒公一聽，彷彿當頭棒喝：『莫不是不該說出雲兒來自雲端？』於是，竹軒公當下把王雲改名爲王守仁。

說也奇怪，第二天，王陽明開始講話，他不但會講一般用語，竟然還朗聲背誦：『歸去來兮，田園將蕪，胡不歸。』把家人都嚇壞了，眞是不鳴則已，一鳴驚人。

竹軒公又驚又喜：『這是陶淵明的〈歸去來辭〉，誰教你的？』

王陽明回答：『咦，這不是爺爺你常常唸的嗎？』

竹軒公更訝異了：『你都記住了？』

『對啊，爺爺讀時，我就默默記著了。』

原來，竹軒公常把小王陽明抱在膝上，自己捧著一本書在唸，不想這個小啞巴，居然是個小神童，竹軒公樂壞了，抱著王陽明的小臉猛親，王陽明怕癢，一直在躲閃，大夥全笑開了。

閱讀心得

【第918篇】王陽明扮小將軍。

王陽明出生以後，一直到五歲大，還不曾開口說話，家人都擔心他是個小啞巴。不料，王陽明的祖父竹軒公將他改名為守仁之後，他不但能說會講，甚且能夠背誦祖父平日朗讀的詩書，實為不可多得的小神童。

竹軒公常常拉著王陽明的小手，走到『瑞雲樓』下面，對他叮嚀：

『你可是神仙從雲裡交給王家的小孩兒，你的命與一般人不一樣喔。』

『是的。』王陽明點點頭。從他還被人誤以為是小啞巴的時候，他已經聽了太多大人重複這一段奇事，因此，他自幼期許，長大以後一定要做番不尋常的事業。

竹軒公也認爲，他不能辜負神仙的美意，所以，他不是含貽弄孫，而是非常認眞的教導王陽明，王陽明極有慧根，祖孫二人一個教一個學，忙得不亦樂乎。

王陽明十一歲那一年，因爲父親王華在京師做官，把祖孫二人接過去，祖孫二人便開開心心上路了，經過鎭江金山寺，竹軒公與路人對飲賦詩，竹軒公興致極高，朋友便以金山寺爲題吟了一首詩，請竹軒公和詩，竹軒公一時之間和不出來，正在皺眉苦思，小陽明一旁看了著急，竟然脫口而出：

『金山一點大如拳，打破維陽水底天。

醉綺妙高臺上月，玉簫吹徹洞龍眠。』

中國人一向認爲，小孩子有耳無嘴，事實上，王陽明這個小朋友原本也是靜靜的、乖乖的一旁吃飯，誰也料不到他會突然開口作詩，嚇得大家都停下了筷子，狐疑的望著他，其中有一位客人用力拍了一下腦袋，用不敢置信的口吻說：『各位，我是不是多喝了酒，我怎麼看到這個小孩對詩？』

竹軒公這下可露了臉，他摸摸王陽明的頭道：『沒錯，我的乖孫可解了爺爺的圍了。』

旁邊另一位大鬍子用權威的口吻道：『沒甚麼奇怪，不過是小朋友隨便背了一首過去人家教他的詩，他才……』說著大鬍子回頭問王陽明：

『你幾歲？』

『十一歲。』

大鬍子笑道：『我都五十一歲了，我都不會作詩，假如他行，就再來一首吧。』

『對，對！』衆人七嘴八舌，非要王陽明出醜不可。

大鬍子作主道：『爲了避免他又背詩，咱們不妨就以寺中的「蔽月山房」爲題，各位看如何？』

這時，附近的人都圍攏過來，看王陽明究竟有無能耐。王陽明閉起眼睛，稍稍沈思，立刻朗聲道：

『山近月遠覺月小，便道此山大於月。
若人有眼大如天，還見山小月更闊。』

王陽明的反應是如此迅捷，這首詩的境界是如此遼闊，衆人皆目瞪口呆，不敢相信自己的眼睛，紛紛報以最響亮的掌聲，並且豎起大拇指道：『眞是不簡單啊，小娃兒長大必成大器。』

竹軒公聽了是心花怒放，但是，他也立刻板著臉提醒王陽明：『小時了了，大未必佳；爲學讀書，最怕驕傲。』

祖孫二人有說有笑到達了京師，王陽明正式入私塾讀書，私塾老師是一位冬烘先生，拿著一把戒尺，搖頭晃腦在唸：『人之初，性本善……』這些課文，王陽明老早唸過了，讀得實在沒有意思。於是，他常趁著老師不注意，偷偷溜出去玩耍。

王陽明最歡喜扮將軍，他找來許多五彩色紙，剪成大大小小的旗幟，上面插一根竹竿，交給街上的小朋友高舉，這些都是他手下的部隊。然後，他再剪了一張最大的旗幟，上面寫一個大大的『王』字，代表是王將軍率的王家軍。王陽明手舞大旗，發號施令，其他小朋友跟著左旋右轉，前進後退，不時還假想敵軍前來攻擊，我方如何接應，忙得是煞有介事。

王陽明很有領導才能，他登高一呼，說也奇怪，小朋友就自動跟著他，即使是比他大的孩子，也樂於接受王陽明的統帥，王陽明對於孩子們的爭執，也有一套排難解紛的辦法，是個頗能服眾的孩子王。

王

有一天，他又在指揮陣仗，突然，老師出現了，怒不可遏問他：『你們家世代顯達，難道你不希望成就天下第一等事？』

『甚麼是天下第一等事？』王陽明不解的問老師。

老師立刻俗不可耐的回答：『咦，就是讀好書考狀元，和你爸爸一樣嘛。』

王陽明不以爲然的哼了哼鼻子：『不對吧，考狀元怎會是天下第一等事？學做聖賢才是天下第一等事。』

這一年，王陽明只有十二歲，他已經立志要做天下第一等事了。

閱讀心得

【第919篇】

六歲小聖人的機智。

明憲宗十八年，王陽明十一歲，因爲父親王華在京師做官，迎養祖父竹軒公，於是祖孫二人相偕前往。

王陽明自小立志爲聖賢，他的父親王華小時候也是如此，下面是王華小時候的幾個故事：

王華在六歲的時候，有一天，到家裡附近的一條小河旁玩耍，他看到一個人手裡提著一個布袋來到河邊，在河岸上坐了下來，脫了鞋子洗腳。

這個陌生人滿身酒臭，走起路來搖搖晃晃，顯然是喝醉了。洗完了腳，陌生人穿好鞋子，拖著不穩的步伐，慢慢走遠了，但是，那布袋依舊留在岸邊。

王華心想，這布袋一定是陌生人丟棄的廢棄物。等到陌生人走遠了，王華忽然心生好奇，想看一看究竟是甚麼東西。於是，他走上前，把布袋打開，王華嚇了一跳，布袋裡竟然是十幾兩銀子。

『那個人一定是喝醉了酒，洗完了腳便忘記把銀子帶走，他清醒以後，一定會回來找銀子的。我該守在這裡等他。』王華心裡想著，但是，眼珠一轉，發覺不對：『如果有別人經過這裡，他要是來搶，我年紀小，個子矮，一定擋不住他，我不如把這布袋丟到水中，別人就不會看到，銀

子很重，也不會被水沖走，這樣比較安全。』於是，王華撿起布袋，扔到小河裡。

過了許久，那個陌生人慌慌張張跑了回來，見到王華，緊張的問：

『小弟弟，你看到一個藍布袋嗎？』

『你洗完腳，就把布袋忘記在河邊了，我把布袋沈到河裡，你趕快去撿回來吧，喏，你看，就在那裡。』王華指著河裡，這河的水很淺很清澈，藍色布袋很清楚的沉在河底。

那個陌生人趕快跨入小河，河水只到達膝蓋，他輕易的就把布袋撈了起來。

回到岸上，陌生人打開布袋，數了一數，發現銀子絲毫未少，高興得掉下了眼淚，拿出一錠銀子送給王華，『小弟弟，眞是感激你，這錠銀子送給你，代表我的謝意。』

『我不能收。』王華搖搖手：『一袋銀子我都不要，我怎會要你一錠銀子？』

『小弟弟，你住在哪裡，可不可以帶我到你家？』那個陌生人收回銀子，激動的拉著王華的手。

『我家就在那邊，我帶你去。』王華點點頭。

到了王華的家，陌生人見到王華的母親岑夫人，把事情的經過告訴岑夫人，並且再三拜謝。

從此，王華拾金不昧的事傳遍鄉里，王華成了鄉親口中機智的小聖人。

小聖人讀書一向是最用功的，這可以從下列的一個故事之中看出來：中國古代農村生活平靜單調，最熱鬧的時候大概是春節過後的迎春會了。因此到了迎春會來臨之前，人人都急著趕去看熱鬧，其中舞龍舞獅，唱野台戲，打拳賣藝等等，尤其受到歡迎。有時縱使節目不夠精彩，對於辛辛苦苦在農田裡耕作了一年的農人而言，也有莫大的吸引力。

當然，最開心的，要算是孩子了，可以拋開書本，跟在大人後頭去湊熱鬧。

奇怪的是，儘管大夥兒都瘋狂的擠向迎春會，王華始終是不爲所動，安安靜靜的坐在書桌前，這個十歲的小孩竟如老僧入定般沈著。

王華的母親岑夫人愛憐道：『華兒，你也該休息一下，去看看熱鬧吧！』

王華不為所動道：『看迎春會哪兒比得上看書。』

岑夫人先是一愣，接著笑道：『對，我兒子說得對。』做母親的見兒子如此用功，既高興又不免心疼。

十一歲那一年，王華拜浙江省餘姚縣的錢希寵先生為師，開始先學對聯，王華悟性極高，又讀過不少詩書，所以，反應特別敏捷，沒過多久，老師才作了上聯，王華立刻接口下聯。

學完對聯，王華接著學習寫詩、寫文章，每一樣王華都極有興趣，在他眼中，讀書遠比遊戲有意思，因此，他成績優異，把同學遠遠拋在後頭，錢老師也歎息道：『我看，到了年底，我也沒有多少東西好教王華了。』

有一天，餘姚知縣突然前來錢老師的私塾，小地方來了一個大人物，學生們都拋開了書本，簇擁到客廳去看知縣大人。大家看到知縣老爺一身官服，身旁跟著幾個行役，那副威風的神情，眞是又好奇又羨慕。只有王華，依然坐在書桌之前，繼續高聲朗讀，彷彿不知道這件事一般。

錢老師送走了縣太爺，回到教室，發現大夥兒全在七嘴八舌談論縣太爺有多麼威風，只有王華依舊端坐書桌，便走了過去，笑著對王華說：『王華啊，就只有你一個人沒到前面去，如果縣太爺見到你，責備你這個小孩態度傲慢，你該怎麼辦？』

王華沒被嚇著，他平靜的回答道：『縣太爺也是人，二個眼睛一個鼻子，有甚麼好看？我正在讀聖賢書，他沒有甚麼理由可以責備我。』

錢老師不禁大爲嘆服。

閱讀心得

【第920篇】

龍泉山寺遇鬼記。

王陽明自小立志爲聖賢，王陽明的父親王華也是如此。

王華十四歲那一年，由於龍泉山環境清幽，是個極好的自修場所，因此搬到龍泉山寺中讀書。縣城裏有幾個年齡比較大的孩子也不約而同搬入寺中。

這幾個大孩子全是富家公子哥兒，到了廟裏，經常欺負和尚，和尚很生氣，正色對少年們說：『各位小施主，本寺晚間經常有怪事發生，各位還是回家讀書吧。』

『你是說有鬼？』一個少年尖聲叫開來：『我們不怕鬼，倒想與鬼比一比誰的本事大。』

『阿彌陀佛。』和尚雙手合十，低著頭走開了。

這天晚上，少年們住的房間果然出事了，先是傳來低沈的哭泣聲，接著是刺耳的狂笑聲。

『好像是女鬼。』一個瘦乾的少年說。

『女鬼，太好了，我們去找女鬼。』一個高大的少年興奮的說。忽然他尖叫起來：『咦，怎麼有水滴到我的脖子上，外頭又沒有下雨。』

『我看看。』另一個少年跑過來，用發抖的聲音說：『不是水，是紅色的血……』

『哇，可怕！』高大的少年一摸脖子，弄得一身紅，嚇得全身發抖。

突然之間，一陣強風吹進屋內，桌上的油燈被吹熄了，室內一片漆黑。

『哎呀，太恐怖了，一定是女鬼進入房間，我們趕快到屋外去。』不知是誰驚慌的大叫。

於是，幾個少年又推又擠逃出了屋外。一到屋外，一片片小石子如雨點般自天而降，幾個少年被打得頭破血流，大叫救命。原來這都是和尚們的驅客之道。

第二天大清早，幾個少年便急忙奔出龍泉山寺，剩下王華一個人仍然留在寺裏。

半夜，一個小和尚爬上王華房間的屋頂，看到王華在燈下用功，便裝成『嗚……』的怪聲，叫了半天，不見王華的反應，只好停止。

第二天晚上，又有幾個小和尚爬上了屋頂，不但裝鬼叫，還用手扒開屋頂的瓦片，讓瓦片掉落房內，發出可怕的聲響，然而，王華依然端坐書桌前專心朗讀，好像沒有聽見任何聲響。

第三天夜晚，小和尚們決定變一變花樣，等到王華睡著了，再悄悄的鑽到王華的床下，搖晃著床鋪，奇怪的是，王華似乎沒有感覺，依然熟睡。

第四天夜晚，雷電交加，風雨大作，王華照例坐在房間裏，幾個小和

尚溜到窗戶下，用力搖晃木窗，不時還裝出猙獰的野狼嗥聲。

『我手都搖痠了，王華怎麼一點兒反應也沒有？』一個小和尚悄悄的說。

『可不是嗎？我裝狼叫，喉嚨都叫痛了，王華都不怕。』另一個小和尚說：『算了，我們走吧。』

『慢一點，我蒙一條白布去嚇一嚇王華。』另一個小胖和尚說，他拿來一塊白布，連頭帶身體包了起來，然後推開王華的房門。

『咿——呀——』房門的聲音好難聽，在深夜裡特別顯得可怕，一個白色的影子在門口晃動著。

王華瞄了房門一眼，嘴角微微一笑，目光又回到書本裏。

白影在門口晃了一下就消失了。

『你回來了，扮鬼嚇到王華沒有？』幾個小和尚問。那個扮鬼的小和尚把白布脫下來，不斷的搖頭道：『沒嚇到王華，我自己反而害怕起來，要是眞的有鬼附到我身上，那該怎麼辦？我一邊唸佛，一邊就跑回來了。』

如此這般折騰了一個多月，鬼戲夜夜上演，王華卻神色自若，小和尚反而弄得疲憊不堪。於是，大家一起開會決議作罷，停止裝鬼的遊戲。但是，大家想不通，爲甚麼王華不怕鬼呢？於是一塊前去問個明白。

小和尚們到了王華的房間，看到他正在整理被褥，便開口問道：『你起床很早啊，這些時日以來，我們廟裏不斷鬧鬼，難道你不怕嗎？』

『怕甚麼？』王華裝作不了解的樣子。

『譬如說，你聽到甚麼恐怖的聲音沒有？』

『我專心讀書，甚麼也沒聽見。』

『那麼你看到甚麼奇怪的東西嗎？』

『甚麼是奇怪的東西？』

『那些鬼怪要來害你，總會顯出一些可怕的樣子，譬如床在搖晃，譬如白布女鬼。』

王華笑著說：『啊，我只不過看到幾個小和尚在作怪罷了。』說著用眼睛橫掃了小和尚一遍。

小和尚被王華看得羞紅了臉，囁嚅道：『你憑甚麼確定是我們在搞鬼？』

『你們想一想，如果不是你們幹的，我一個人在房間裏，你們怎會如此清楚，這是你們自己露了馬腳。』

『哇，佩服，佩服！』小和尚們叫了起來。

王華長大中了狀元之後，爲了紀念這一段經過，自稱爲『龍山公』。

閱讀心得

【第921篇】涼亭中的豔遇。

王華十七歲那一年，果然不負衆望，考中了秀才，用功苦讀畢竟是有代價的。

當時的提學使張時敏十分欣賞王華的才學，逢人便誇王華與另一名秀才謝遷的文章有多好多好，將來有中狀元的希望。

依照明代的考試制度，讀書人先得在縣裏參加考試，錄取者稱爲童生，俗稱秀才，再到省城裏去參加全省的會考，考取者稱爲舉人；最後再到京師去參加全國性的會考，考取者稱爲進士，進士的第一名稱爲狀元，狀元是中國讀書人夢寐以求的最高榮銜，當然極爲難得。

由於提學使張時敏不斷誇讚，使得王華的名聲大噪，遠近的世家大族都爭相聘請王華當他們的家庭教師。

當時的浙江巡撫姓寧，他透過張時敏的介紹，親自到王華家拜訪，禮聘王華到祁陽（今湖南祁陽縣）老家去教導子弟讀書。

祁陽寧家藏書豐富，有書數千卷，王華正是個書迷，因此每天除了教導寧家子弟之外，便是埋首於藏書室之中，三年的寧府家教生活，王華幾乎是足不出戶。

祁陽有許多讀書人慕名前來拜訪，並且邀王華出外飲酒作樂，王華總是婉謝。祈陽士子都有狎妓飲酒的習慣，王華曾經遠遠見過一回，對於這些讀書人一面輕輕撫摸妓女的小手，一面飲酒賦詩的方式十分不能接受，他也非常不能適應公開打情罵俏的作風。所以，王華總是只在寧府與客人暢談，卻不肯答應出外遊宴。

三年家教期滿，王華告別寧府，準備回到家鄉參加浙江省的會試。祈陽的許多文人都來探望王華，堅決的邀請王華參加晚宴，以爲送行。

王華一向不喜歡吃吃喝喝的應酬，但這些祈陽的文人態度誠懇，眞是盛情難卻，王華只得答應。

祈陽文士們把酒宴安排在一個湖中的亭子裏，亭子很寬敞，隔爲內外二間，外間是客廳，擺上一個圓桌和椅子，適合品茗、飲宴，內間布置成一個小房間，有潔淨的床鋪，以便喝醉了酒的客人休息。

這亭子四周是湖水，客人與食物全用小船載運而來，王華雖在祈陽三年，卻從未到過此處，祈陽文人們殷勤的款待王華，王華也覺得此處風景甚好，於是心情歡暢，很豪爽的喝了幾杯酒。

筵席完畢，已是子夜時分，王華也有幾分酒意，作東的祈陽文士們強留王華在亭中的內間過夜，這些文人們則乘著小船離去。

王華雖有酒意，卻並未喝醉，他覺得能在如此風景優美的湖中住上一夜，也可算是人生的一大享受。

送走了祈陽文士們之後，王華獨自一人慢慢踱步走進房內，覺得有點睏了。

『參見公子。』突然，嬌嬌滴滴的聲音把王華嚇得酒都醒來了，仔細一看，原來內間竟然藏了兩個穿著華麗、滿臉彩粉的女人，她們的高髻上插著一支『金步搖』，隨著笑聲，劇烈的晃動，王華有眼花撩亂之感。

王華一身冷汗，比看到了鬼還緊張，他結結巴巴的問道：『你們是幹甚麼的？』

『哎呀，公子，周老爺要我們姐妹倆今晚好好服侍公子。』這二個女子說著，便上前拉住王華，一個幫王華解衣帶，一個要幫王華脫鞋子。

『住手！』王華大喝一聲，這時他才會過意來，這二個濃妝艷抹的女子是城中的妓女，剛才酒宴主人之一的周老爺僱她們來。

『公子，你別緊張，這兒又沒有別人，你可以放心大膽尋歡作樂。』

一個妓女撒嬌的摟住王華的脖子。

『不許亂動，我不喜歡這樣！』王華用力一推妓女，下命令道：『你們馬上離開這個亭子。』

『我們怎麼走？這亭子四周全是水，又沒船，如何走得成？』另一個妓女又纏上來，噘著嘴，又湊過來要拉王華的手。

王華四下一望，果然四周全是水，他想了一想，靈光一閃，拍著手道：『我自有辦法。』

王華找到一把小斧頭，把房間的門板拆了下來，放入湖中。

『來，你們坐上去，用一塊木片就可以搖到對岸了。』

『不要，我們怕，我們要留下來陪公子。』兩個妓女又挨近了王華，一股濃烈的香味直噴向王華。

『也罷，你們不走，我走。』王華說著，一腳踏上門板，門板不小，像一般木筏，王華以一塊木片爲槳，緩緩離開了亭子。

兩個妓女吃驚無比的互相對望，用詫異的眼光看著王華的木筏漸行漸遠。

閱讀心得

【第922篇】

被窩裡的貓頭鷹。

王陽明的父親王華自小立志爲聖賢，成化十七年中了狀元以後，果然也謹守聖賢之道，曾經多次在文華殿爲明孝宗講課，深得明孝宗的信任。

王華雖然在公務上一帆風順，對於治家卻相當棘手。王華的元配是王陽明的生母，鄭氏逝世後，王華又娶了繼室趙氏。趙氏是個淺薄小器的婦女，話特別多，加上聲音亢直尖厲，大聲嚷嚷起來，讓人聽著心跳，王華每次遇到趙氏嚕嗦就躲到書房裡避難。

趙氏沒多久，相繼生下兩個兒子，取名守儉守文。後母本來難當，必須要有充分的愛心、廣大的包容力，才可能將前妻的兒子、自己的兒子一視同仁。趙氏心胸狹窄，當然不是一個好後母。當著王華的面，她偶爾還裝模作樣，虛情假意摸摸王陽明的頭，背著王華的面，王陽明可就慘了。

有一回，趙氏爲了一點點細故，沒來由的發脾氣，順手對王陽明就是一個耳光，打得王陽明連連倒退，差一點摔倒。王陽明聽人家說，挨多了耳光，耳朵會壞掉，他很想跑到王華面前去告狀，想一想又不忍心增添父親的煩惱；何況，告了狀也不能解決問題。

王陽明一心想當聖賢。於是，他努力思索，聖賢若是遇到這種問題，該如何處理？

王陽明想到了舜，舜的父親是個瞎子，母親早死，後母心狠手辣，常想害死舜，曾命舜修理倉庫，然後點火燒屋，舜拿著斗笠跳下來，居然沒死。後母又命舜挖井，當舜在井底工作時，後母便往井裡丟石頭扔砂子，舜自井邊挖了一個洞逃出來又沒死。舜飽受欺凌，依然非常孝順。

王陽明佩服舜的孝行，卻認爲舜的方式不足爲法，舜若是運氣不佳，果眞被後母給害死，豈不可惜！王陽明少有大志，他可不希望白白犧牲，他暗暗下了一個決心，他一定要思考出一個辦法，能夠在不傷害後母的原則之下，讓後母改變對他的態度。

當王陽明十二歲那一天，有一年，王陽明在路上，看到有位獵人在賣貓頭鷹，貓頭鷹是一種鳥類，頭圓體肥，額兩側長出耳狀角羽，眼睛銳利發亮，上嘴唇向下鈎曲，被覆下唇，晝伏夜出，頭可以轉到一百八十度，所以四面八方的聲音可以聽得一清二楚，能夠順利在漆黑的環境之中準確的逮捕獵物，以蛇、鼠等小型哺乳類動物爲食。

中國人一向認爲，貓來窮狗來富，至於貓頭鷹，此乃怪鳥，這是最不吉祥的怪物。王陽明突然心生一計，決定用貓頭鷹爲道具，開個小玩笑。於是，他掏出身上所有的錢，用鳥籠裝了一隻大型的貓頭鷹帶回去。

到了中午，吃過了午飯，後母照例午睡，她不經意的掀開被子，猛然發現被窩裡有隻貓頭鷹，正在用圓圓滾滾的眼睛瞪著她，嚇得她差一點沒有當場昏倒，緊接著，後母開始大聲尖叫，她的聲音原本聒噪刺耳，這麼大聲一吼，貓頭鷹也受到了驚嚇，猛拍翅膀，繞室而飛，發出嘎嘎的怪

聲。

後母忙打開窗户，拿起枕頭朝貓頭鷹身上猛打，貓頭鷹在房間中飛來繞去，後母失魂落魄苦苦追逐，折騰了半天，終於把貓頭鷹趕出屋外。雖然是寒冬，後母又嚇又累，全身疲軟，一身大汗。她回過神來，想到野鳥入室乃居家大忌，如今怪鳥竟然潛入被窩，不曉得代表何種凶兆，想到這兒，她忍不住一屁股坐在床上，開始大哭特哭起來。

這時，王陽明『剛好』進來，發現一向囂張跋扈的後母披頭散髮、衣衫零亂，哭得一塌糊塗。於是，他故意裝成不解的樣子，走上前去詢問究竟。

後母邊哭邊說了剛才發生的事，又用袖子抹了眼淚鼻涕，王陽明安慰後母道：『別急，我聽說姜婆婆很通靈，不妨請她前來捉妖。』

『那好，你快跑一趟！』後母急急吩咐。

沒多久，女巫姜婆婆來了，手裡拿著一串鈴，邊搖邊走入，她用不以爲然的口氣批評：『這屋裡不乾淨。』

『對，的確不乾淨。』後母點點頭，並且哀聲求道：『拜託，你快把屋中清掃乾淨。』

姜婆婆恭恭敬敬燒了香，口中唸唸有辭，忽然之間，全身不住顫抖，瘋狂的搖擺，她沒有開口，卻有聲音自姜婆婆的肚皮裡傳出來，這聲音不很清楚，但是，仔細聽，還是可以聽出來。

『我是仁兒（王陽明名守仁）的媽媽，可憐，我走了以後，他受到惡毒女人的迫害，上天必不饒她。』後母一聽此話，呆若木雞，過了半天，『咚』的一聲，跪倒在地，不斷的叩頭：『大姐，我不敢了，我再也不敢了。』

姜婆婆仍在發抖，肚皮裡又傳出聲音：『守儉守文的待遇可比守仁好太多。』

後母更怕了，由此可見，王陽明的生母連她兒子的名字都曉得，可見她人雖死，魂未散，萬一報復起來，那還了得。

『大姐，我以後一定對守仁，比對守文守儉還好，請你原諒我。』後母跪在地上，不停討饒。

過了一會兒，姜婆婆逐漸恢復原狀，後母取了幾文銅錢，送給姜婆婆，姜婆婆帶著銅鈴走了。

這本是王陽明買通姜婆婆演出的一場戲；此後，趙氏果然再也不敢虐待王陽明了。

閱讀心得

【第923篇】新郎缺席的洞房花燭夜。

王陽明自幼立志爲聖賢，但是，聖賢這一條路到底應該怎麼走，他還在苦思、還在摸索。在他看來，如果僅在書中尋找答案，充其量只能成爲一個學者，而不是他所嚮往的聖賢。

十五歲那一年，他稟報父親『出外訪友』，卻騎了一匹快馬，馳出居庸關，縱覽山川形勢，探詢諸夷種族，這時，他覺得摸不到聖賢之路，不如縱馬萬里，做一個豪傑之士。

當時邊境正值多事之秋，邊將知道這個少年郎乃狀元王華之子，特別予以優待，王陽明就十分快樂的玩了一個多月，方才意猶未盡的回家。回到家後，王華知道這個寶貝兒子竟然溜到塞外，心中隱隱不安，責備他道：『守仁，讀書人不可太張狂，心性要定下來。』

『是的，我知道。』王陽明雖然口中答應，心中卻不以爲然。塞上歸來之後，王陽明天天想的是邊際之事，晚上夢到自己帶兵打仗，在大漠中追逐胡兒，眞正是好不威風。

有一天晚上，他作了一個夢，夢到拜謁馬伏波的廟，醒來以後，依然興奮的發抖。

馬伏波名馬援，乃東漢的英勇大將，協助漢光武帝建立中興大業，我們在介紹東漢的故事曾經詳細介紹，他有幾句名言，至今仍然膾炙人口，例如『丈夫立志，窮當益堅，老當益壯』、『男兒當死於邊野，以馬革裹屍而還』。

馬援在國家太平之時，開荒畜牧、厚植國力，國家動亂之時，效命沙場、保國衛民，到了八十多歲，依然親率大軍討伐蠻夷，最後果然光榮戰死在沙場。

小王陽明以英雄崇拜的眼光欽慕馬援，他希望自己能夠成爲明朝的馬援。想著、想著，王陽明奔騰的一顆心再也按捺不住了，他悄悄的上書皇帝明孝宗，貢獻與胡人交戰的謀略，並且毛遂自薦，希望能夠帶兵出征。

王華發現了兒子的舉動，訓斥了王陽明一頓：『就憑你這一點粗淺的弓馬知識，你就想平定方境嗎？你也未免太狂妄了吧。』

王陽明有點慚愧，父親說得沒錯，他的確是懂得太少了，不過，他倒不以爲狂一點、狷一點有什麼不好，『狂者進取，狷者有所不爲。』而且，最重要的，王陽明瞧不起一般庸俗的讀書人，在他看來，這些儒生，只曉得一心求取功名富貴，等到國家危難之時，束手無策，眞所謂『百無一用是書生』。

十五歲的王陽明暗暗立志，他不但要追求聖賢之道，也要研究軍事，不過，他可不敢把自己的心事告訴別人，因爲沒有人會了解聖賢和豪傑能合在一起的。

王華頗有點兒擔心王陽明，他思忖，也許早一點讓王陽明成了親，他那一顆不羈的心可以安定下來。於是，王陽明十七歲之時，王華命陽明前往洪都（今江西南昌）與諸氏成親。諸氏是江西布政司參議諸養和的女兒，門當戶對，雙方家長又是世交，王陽明沒有反對的理由，不過，他對結婚沒多大興趣，他還是滿腦子的聖賢夢。

婚禮大典就在官署舉行，一大早到處鬧烘烘的布置著，王陽明插不上手，吃完中飯，他就信步走到附近的鐵柱宮遊覽。

突然，他看見一個道士正閉目打坐，神態安祥，王陽明靜坐一旁，以無限好奇的眼光盯著道士瞧。

王陽明想學馬援，可是他身體實在不夠強健，尤其肺部，他希望把身體練好。中國古代的讀書人『半日靜坐，半日讀書』，例如唐朝的白居易體弱多病，就是靠著打坐，才能夠延年益壽。王陽明也想學，只是不知其法，如今逮著了機會，非要一探究竟不可。

道士悠悠然睜開了眼，發現一個眉清目秀、氣質不俗的小伙子在一旁觀看，淡淡一笑：『少年人有興趣打坐？』

『是的，我很想學，請問道長，這是養生之道嗎？』

『沒錯，打坐可以達到天地與我並生，萬物與我合一的境界。打坐是在養氣，有些人把打坐看成是氣功的一種，打坐可以使人血氣調和，精神清朗，這對身體健康是有益處的。』

『可否請道長教教我？』王陽明興奮的要求。

『那麼我們就試試看吧。』道士說著，便指導王陽明打坐的姿勢：

『打坐的姿勢有散盤、單盤與雙盤，此外，記住要厚鋪坐褥，寬解衣帶，端身直脊，唇齒相著，舌柱上顎，微閉其目，常視鼻端。』

王陽明立刻學著盤起了腳，開始學習，道士也耐心指導。這一坐下來，他專心投入，就把晚上要當新郎倌之事，忘得一乾二淨，整個晚上都在和道士談論養生之道，並且重複練習打坐，可憐那新娘獨個兒枯守洞房花燭夜，新娘很賢慧，沒發脾氣，心中擔心害怕的是王陽明別發生什麼意外，那珍珠般的眼淚不是怨恨，而是憂慮和恐懼。

第二天，諸家派人到處找尋王陽明，這才在鐵柱宮找到了徹夜未眠卻顯然精神飽滿的王陽明。

『新郎倌啊，你怎麼不在洞房，卻跑到這觀來過夜？』諸家的來人大叫起來。

『對呀，糟糕，我忘記了！』王陽明一拍腦袋，好像失憶症的病人又恢復了記憶。

『結婚是人生大事，你竟然忘了？』大夥兒叫嚷起來。

王陽明向道士作了揖，趕緊返身便跑，他要向新娘子請求原諒他的荒唐。

打坐是許多中國人喜歡的事，但是打坐很容易受到邪靈的入侵，想要強健身體反而走火入魔、戕害身心靈。王陽明因打坐誤了正事，大概也算走火入魔的一個例子吧。

閱讀心得

歷代・西元對照表

朝　　　代	起迄時間
五帝	西元前2698年～西元前2184年
夏	西元前2183年～西元前1752年
商	西元前1751年～西元前1123年
西周	西元前1122年～西元前 771年
春秋戰國(東周)	西元前 770年～西元前 222年
秦	西元前 221年～西元前 207年
西漢	西元前 206年～西元 8年
新	西元 9年～西元 24年
東漢	西元 25年～西元 219年
魏(三國)	西元 220年～西元 264元
晉	西元 265年～西元 419年
南北朝	西元 420年～西元 588年
隋	西元 589年～西元 617年
唐	西元 618年～西元 906年
五代	西元 907年～西元 959年
北宋	西元 960年～西元 1126年
南宋	西元 1127年～西元 1276年
元	西元 1277年～西元 1367年
明	西元 1368年～西元 1643年
清	西元 1644年～西元 1911年
中華民國	西元 1912年

國家圖書館出版品預行編目資料

全新吳姐姐講歷史故事. 43. 明代/吳涵碧 著.
--初版.--臺北市；皇冠，1999〔民88〕
面；公分（皇冠叢書；第2940種）
ISBN 978-957-33-1640-4（平裝）
1. 中國歷史

610.9　　　88007060

皇冠叢書第2940種
第四十三集【明代】
全新吳姐姐講歷史故事〔注音本〕

作　　者—吳涵碧
繪　　圖—劉建志
發 行 人—平雲
出版發行—皇冠文化出版有限公司
台北市敦化北路120巷50號
電話◎02-27168888
郵撥帳號◎15261516號
皇冠出版社(香港)有限公司
香港銅鑼灣道180號百樂商業中心
19字樓1903室
電話◎2529-1778　傳真◎2527-0904
印　　務—林佳燕
校　　對—鮑秀珍・第一編輯室
著作完成日期—1998年12月
香港發行日期—1999年07月09日
初版一刷日期—1995年07月15日
初版二十七刷日期—2021年05月
法律顧問—王惠光律師
有著作權・翻印必究
如有破損或裝訂錯誤，請寄回本社更換
讀者服務傳真專線◎02-27150507
電腦編號◎350043
ISBN◎978-957-33-1640-4
Printed in Taiwan
本書定價◎新台幣150元/港幣45元

• 皇冠讀樂網：www.crown.com.tw
• 皇冠Facebook：www. facebook.com/crownbook
• 皇冠Instagram：www.instagram.com/crownbook1954/
• 小王子的編輯夢：crownbook.pixnet.net/blog